최약무패의 신장기룡

UNDEFEATED BAHAMUT CHRONICLE

바하무트

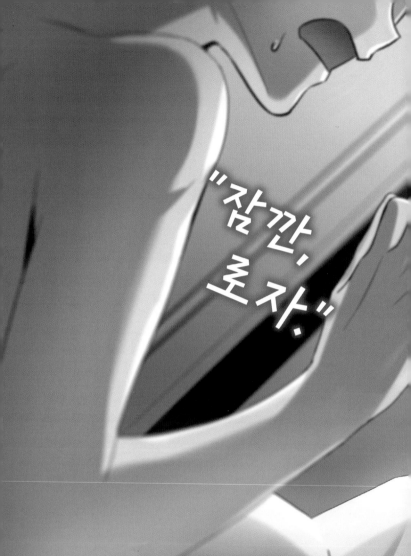

"잠깐, 로자."

로자가 한껏 도취된 미소를 지으며,
입술을 가까이했다.

"간다, 공주님."

신왕국의 주력인 리샤와
룩스 진영에 남은 유일한 전력인
크루루시퍼가 대치하고 있었다.

"지금이라면 투항을 허하겠다,
크루루시퍼."

"─리샤 님,

당신을 사랑합니다.

CONTENTS

UNDEFEATED
BAHAMUT
CHRONICLE

© Yuichi Murakami

최약무패의

바하무트

신장기룡

18

아카츠키 센리 지음
무라카미 유이치 일러스트
원성민 옮김

Character

룩스 아카디아

멸망한 아카디아 제국의 왕자.
『무패의 최약』이라고 불리는 기룡사.

리즈샤르테 아티스마타

아티스마타 신왕국의 왕녀. 붉은 전희(戰姬)라고 불린다.
신장기룡《티아마트》의 파일럿.

피르히 아인그람

아인그람 재벌의 차녀. 룩스의 소꿉친구이며 학원장의 여동생.
신장기룡《티폰》의 파일럿.

크루루시퍼 에인폴크

북쪽의 대국, 유미르 교국에서 온 유학생 클래스메이트.
신장기룡《파프니르》의 파일럿.

아이리 아카디아

구제국 황족의 생존자.
1학년이며 룩스의 친여동생.

세리스티아 라르그리스

『기사단』의 단장, 학원 최강의 3학년. 사대 귀족인 공작가 영애
이며, 신장기룡《린드부름》의 파일럿.

키리히메 요루카

『제국의 흉인』이라고 불리던 암살자 소녀.
룩스를 주인으로 인정하고 섬기고 있다.
신장기룡《야토노카미》의 파일럿.

후길 아카디아

라피 여왕을 섬기며 『세계 개변』을 완수하고자 암약한다.
개변기룡《우로보로스》를 다루는 수수께끼의 강자.

World

장갑기룡《드래곤 라이드》

유적에서 발굴된 고대병기.
그중에서도 희소종이며, 높은 성능을 보유한 것은 신장기룡이라고 부른다.
또한, 장갑기룡의 파일럿은 기룡사《드래곤 나이트》라고 부른다.

유적《루인》

전 세계에서 발견된 일곱 개의 고대유적. 장갑기룡《드래곤 라이드》이 발굴
된 이후, 국력을 좌우하는 중요한 거점으로써 각국 간에 세력 다툼이 일어
나고 있다.

환신수《어비스》

유적에서 나타나는 수수께끼의 환수. 인류를 위협하는 존재이며, 기룡사만
이 대항할 수 있다.

종언신수《라그라뢰크》

한 유적에 단 한 마리만이 존재한다는 초현실적인 힘을 숨긴 일곱 마리의
환신수.

『검은 영웅』

정체불명의 장갑기룡《드래곤 라이드》을 사용하여 단신으로 약 1,200기에
달하는 제국 장갑기룡을 쓰러뜨렸다고 하는 전설의 영웅.

아티스마타 신왕국

리즈샤르테의 아버지인 아티스마타 백작이 아카디아 제국에 대항하여 일으
킨 쿠데타가 성공하며 5년 전에 건국된 나라.

아카디아 구제국

세계의 5분의 1을 지배했던 대국. 세계최강이라고 일컬어지던 압도적인 군사
력을 바탕으로 압정을 펼쳤으나, 쿠데타로 인해 멸망하였다.
룩스와 아이리는, 이 제국 황족의 생존자.

칠용기성

갈수록 늘어나는 환신수의 위협에 대항하여, 세계협정에 가맹한 각국에서 선
출한 대표 기룡사들. 『대성역』에서 벌어진 최종 결전에 패배하여 와해됐다.

"리즈샤르테. 당신은 아버지인 영걸 아티스마타의 유지를 이어 신왕국의 공주가 되어야 합니다. 그것이 당신이 짊어져야 할 책임입니다."

몹시도 오래전의 일처럼 멀게 느껴지는 목소리.

그러나 바로 어제 겪은 일처럼 선명하게 떠올릴 수 있는 5년 전의 기억.

구제국의 붕괴와 함께 불타버린 왕성.

당시 아티스마타 백작의 부관이었던 나르프 재상은 우물 속 비밀통로에서 구출한 리샤에게 그렇게 선고했다.

"……."

그때의 리샤는 알 수 없었다.

인질로 붙잡힌 자신은 아버지에게 버림받았고, 목숨이 아까워서 아버지를 배신했다.

구제국에 무릎을 꿇었다는 지울 수 없는 낙인이 그녀의 몸에 남아있었다.

그런 자신이 어떻게 아버지의 유지를 이어받아 공주가 될 수 있을까.

하지만 그 말을 거절한다 한들 리샤에게는 갈 곳이 없었다.

자신은 운명에 농락당하며 살아갈 수밖에 없는 거라며, 자포자기한 심정으로 공주의 지위에 올랐다.

누군가가 구해주기를 바랐던 진짜 자신.

믿었던 아버지에게 버림받았다는 마음의 상처.

세상을 떠난 영걸의 딸이라는 직함을 내심 싫어했던 리샤는 장갑기룡 개발과 운용에 몰두했다.

그것만이 지금의 자신을 정당화할 수 있었다.

영걸의 딸로서 신왕국을 올바른 길로 이끌어나갈 자격 따위는 없다고 생각했으니까.

대외적으로는 『붉은 전희』라 불리는 새 시대의 리더로 행동했지만, 뒤에서는 괴로워했다.

자신의 진짜 모습을 알아주는, 받아들여주는, 신뢰할 수 있는 사람.

계속, 그런 존재를 원했기에.

리샤는, 그 소년을 만났다.

†

"룩, 스……?"

영겁처럼 멈춰있던 시간 속에서 하늘하늘 눈이 내린다.

『고대의 숲』의 환상적인 설정.

신왕국에 선전포고한 『창궁사단』의 대장이라고 생각했던 여동생― 아르마에게 지시를 내리던 ^{드래곤 나이트}기룡사의 정체.

리샤는 이 분명한 현실조차 가짜가 아닐까 의심했다.

앞에 선 소년이, 리샤가 그 누구보다 신뢰하는 룩스가 이 쿠데타를 결행한 장본인이라고, 눈앞에 펼쳐진 현실이 고하고 있었다.

"무언가, 잘못된 건가? 나는 지금, 뭘 보고 있는 거지?"

"……."

시간이 여전히 멈춰있기라도 한 것처럼, 눈앞의 소년은 움직이지 않았다.

미동조차 하지 않았고, 할 수 없었다.

"너는, 나와 어마마마를 배신한 것이냐?"

룩스가 누군가에게 조종당하고 있거나, 아니면―.

그렇게 생각할 수 있다면 얼마나 마음이 편할까?

그러나 리샤의 말을 듣고 룩스의 얼굴에 떠오른 비장감이 그것이 진실임을 증명했다.

"대답해라, 룩스! 네가 꾸민 짓이냐?! 신왕국을 무너뜨리기 위해서!"

"윽……!"

룩스는 아무런 말도 할 수 없었다.

자신의 정체를 숨기고 리샤에게 알리지 않은 채 『성식』을 토

벌한다는 계획은 이미 실패했다.

그러나 세계 개변의 영향 아래에 있는 그녀에게 진실을 알리고 설득하기란 불가능하다.

무엇보다도 리샤에게 걸린 인식의 주박이 풀렸는지 확인할 수 없을뿐더러, 주박이 풀렸다고 해도 그러고 싶지 않았다.

그렇게 하면 힘겹게 가족을 손에 넣은 리샤에게 더더욱 가혹한 운명을 짊어지우게 되니까.

『성식』이라는 유적의 <ruby>시스템<rt>루인</rt></ruby>에 빼앗긴 양어머니를 그녀의 손으로 처단해야만 하게 되니까.

과연 모든 것을 밝히고, 설득해서, 리샤에게 『모친 살해』라는 더욱 가혹한 족쇄를 채우는 것이 합당한가?

갈등 끝에 이끌어낸 대답은—.

"너는…… 가짜다. 룩스가, 나와 어마마마를 배신할 리 없어……. 너는, 룩스가 아니야!"

리샤는 몸에서 붉은 증기 같은 것을 방출하더니, 검대에서 <ruby>기공각검<rt>소드 디바이스</rt></ruby>을 뽑았다.

룩스는 그 기이한 모습을 보고 『세례』를 받아 육체가 강화되었음을 알아차렸다.

동시에 그녀가 자신을 적으로 간주하고 전력을 다하려 하고 있다는 것도.

"—눈을 뜨거라, 개벽의 시조여. 홀몸으로 군세를 이루는 신들의 용왕이여. 《티아마트》!"

거대한 붉은색 신장기룡이 리샤의 눈앞에 소환되고, 무수한 부품으로 갈라진다.

"―연결·개시!"

그리고 리샤의 전신을 뒤덮는 장갑으로 변화하면서 포효 같은 기계 구동음을 울렸다.

"영웅님, 지금은 일단 후퇴하세요!"

그 광경을 본 아르마가 급히 룩스에게 철수를 권했다.

그러나, 이미 때는 늦었다.

"아르마! 너는 숨어있어!"

간신히 그렇게 지시한 후 룩스도 기공각검을 뽑았다.

신장기룡 《바하무트》를 소환하고, 리샤를 막기 위해 장갑을 뒤덮고 대치했다.

룩스가 처음으로 학원에 온 날에도, 두 사람은 싸웠다.

만남이라는 시작의 순간을 덧그리려는 것처럼, 다시금 무대의 막이 열렸다.

Episode 1 　멸망으로 향하는 초읽기

"참 곤란한거예요. 계획에 없는 묘한 간섭을 받다니…… 게다가 세계 개변의 주박은 여전히 걸린 상태인 거죠?"

토끼 귀처럼 생긴 기계 귀를 달고 있는 자동인형(오토마타).

『방주(아크)』를 관리하는 통괄자 라 클루셰는 대치 중인 소녀를 보며 툭 내뱉었다.

현재의 주인, 라피가 지정한 말살 대상인 신왕국의 배신자 아이리 아카디아를 구한 것은 타국 『칠용기성』로자 그랑하이드였다.

"간섭, 이라. 역시 네 녀석들은 뒤가 구린 일을 꾸미고 있었다는 거지? 마기알카 대장의 보좌관이 한 얘기도 의외로 핵심을 꿰뚫었나 보네?"

후길의 개변기룡(아티팩트) 《우로보로스》로 인해 룩스와 마기알카를 제외한 『칠용기성』은 폐도 게르니카에서 벌인 결전으로 모든 싸움이 끝났다고 생각하고 있다.

그러나 그 이후에 에이릴을 납치당하고, 『모형 정원(가든)』의 『그랑 포스』를 빼앗기며 상황이 일변했다.

마기알카는 사람들의 인식을 조작해서 암약하는 라피 여왕의 동향을 파악하고자 남은 『칠용기성』을 교묘하게 『고대의 숲』으로 유도했고, 그 결과 이처럼 룩스의 편으로 만드는 것에 성공했다.

지금까지 함께 싸우고, 혹은 맞붙으며.

유일무이한 신뢰 관계를 가진 룩스만이 지닌 강점.

룩스의 왕으로서의 그릇이 이긴 결과였다.

"하아, 정말 곤란한 거예요. 세계의 균형을 유지하기 위해 살려뒀더니. 뭐, 여기서 살해당한다면, 그것도 운명인 거겠죠. 하지만 지금은ㅡ."

라 클루셰는 너스레를 떨면서 자신의 신장기룡ㅡ 보석 같은 장식으로 치장된 비행형 《뷔브르》를 조종해서 로자가 등 뒤로 숨긴 아이리를 향해 날아올랐다.

"윽……?!"

이를 본 아이리는 반사적으로 등을 돌리고 달렸다.

"저 배신자를 처리하는 게 우선인 거예요."

라 클루셰는 아이리의 등을 향해 자유자재로 신축하는 기룡아검을 조준했다.
블레이드

"꿈 깨시지?"

하지만 아이리를 지키고자 쫓아온 로자의 《고리니시체》가 그 공격을 막기 위해 용각곡인을 휘둘렀을 때ㅡ.
사이즈

"의미없는 발악인 거예요."

매서운 호를 그려낸 거대한 낫의 일섬은 말 그대로 허공을 가르고 말았다.

"······헛?!"

라 클루셰는 적의 사각을 노렸기에 예측이 불가능할 공격을 거들떠보지도 않고 피했다.

그녀의 신장기룡 《뷔브르》의 신장은 《천리안》. 대상에게 보낸 특정 사상에 대한 대답을 읽어낸다.

지금 움직일 방향은 오른쪽인가? 왼쪽인가?

도망치려는 것인가, 싸우려는 것인가?

그런 특정 질문에 대한 마음의 반응을 읽어내는 신장이다.

라 클루셰가 마음을 읽을 대상으로 지정한 것은 로자가 휘두르는 사이즈의 궤도다.

아이리를 향해 일직선으로 접근하는 라 클루셰와 《뷔브르》를 배후에서 베어내려는 궤도의 일섬.

로자가 예측한 대로 움직이는 척하다가, 닿기 직전에 페인트를 섞어서 공격이 빗나가게 한 것이다.

"꺄악! 오빠, 도와주세요!"

"안됐지만 당신이 신왕국의 적으로 돌아선 이상, 그건 이룰 수 없는 소원인 거예요. 한심한 동료를 가진 오빠를 원망하는 거예요."

자유자재로 신축하는 블레이드를 최대로 늘려서 아이리의 등을 찔렀다.

확실하게 등을 뚫고 심장을 관통했다고 생각했지만— 손에는 아무런 느낌도 없었다.

"······앗?!"

"한심한 동료라고 했는데…… 그 말, 그대로 돌려주겠어—."

그 순간, 《고리니시체》의 사이즈가 《뷔브르》의 등을 가로로 갈랐다.

"큭……!"

가까스로 급상승해서 위기를 모면했지만 아이리의 모습을 완전히 놓치고 말았다.

"지금 그건…… 아하, 《고리니시체》의 특수 무장 《위조 섬영》^{신 팬텀}으로 만든 환영이었나요."

라 클루셰가 《뷔브르》의 신장으로 로자의 마음을 읽더라도 한꺼번에 여러 개의 해답을 읽어낼 수는 없다.

어디까지나 지정한 사상에 대한 해답만을 얻을 수 있다.

"지금이니까 하는 말인데, 아까 네가 싸우는 모습을 봤거든. 기계 주제에 수 싸움으로 인간님을 이기려고 들다니, 천 년은 이르다고 생각하지 않아?"

"……과연. 일단은 한 나라의 대표라고 할만한 실력은 되는 것 같네요."

진짜 아이리는 장갑을 유지할 수 없게 된 녹트와 함께 달아났을 것이다.

그렇다면 이제 로자를 쓰러뜨리기 전까지는 아이리를 쫓을 수 없다.

그렇게 판단한 라 클루셰는 마음의 스위치를 전환했다.

"그렇게 죽고 싶으신 거군요. 그렇다면— 당신이 바라는 대로 해드리겠다는 거예요."

《뷔브르》의 블레이드를 들고 중단자세를 잡으며, 자동인형 소녀는 선고했다.

†

"끝까지 방해할 생각인 겁니KA…… 너는—."

그리고 다른 장소.

로자와 라 클루셰가 교전 중인 곳에서 조금 떨어진 위치.

마찬가지로 유적『달^문』을 관리하는 자동인형 리 프리카의 습격에서 아르마를 구출하고 달아나게 한 소피스가 자동인형과 대치하고 있었다.

리 프리카의 몸을 뒤덮은 장갑은 육전형 신장기룡 《가르구이유》.

한때는 그녀와 자매처럼 돈독한 관계였던 소피스도 그 신장기룡의 능력과 성질은 미지의 영역이었다.

"그건, 내가 할 말……. 역시 너는, 내가 없으면 안 돼."

"의미를 알 수 없군YO. 그리고 당신 같은 건 필요 없습니DA. 우리를 이끌어줄 마스터만 있다면!"

그렇게 외치는 동시에, 폭발적인 속도로 가속한 《가르구이유》가 대지를 활주한다.

손에 든 대형 할버드를 치켜들고, 소피스와 《브리트라》를 향해 수직으로 내리쳤다.

"윽……! 《바람의 위광^{마하푸라나}》!"

온갖 물질 및 에너지의 궤도를 자유자재로 조종하는 《브리트라》의 신장.

이를 사용해 상대의 공격을 가뿐하게 피하고, 배후를 잡았다.

리 프리카의 무방비한 등이 드러난 순간, 소피스는 적의 어깨 장갑을 노리고 중형 블레이드를 힘껏 휘둘렀다. 그러나—.

"……헉?!"

소피스의 참격은 허무하게 허공을 갈랐고, 뒤로 돌아선 《가르구이유》의 반격 수평 베기를 정통으로 **맞기 직전이었다.**

콰앙!

"으……아!"

간발의 차이로 들어 올린 장갑팔이 방패 역할을 해주었지만, 육전형 신장기룡의 파워를 완벽하게 막아낼 수는 없었다.

그대로 옆으로 튕겨 날아가며 밀집한 나무들에 수차례 충돌했다.

'지금 그건, 대체……?!'

어째서 공격이 빗나간 것인지, 어느 틈에 반격당한 것인지 소피스는 파악할 수 없었다.

그러나 리 프리카는 딱히 룩스처럼 특수한 기룡 조작을 선보인 것은 아니다.

직전에 《가르구이유》의 장갑이 발광한 점으로 판단컨대, 신장을 사용한 것이 분명했다.

'하지만, 어떻게—.'

공격을 받은 것 자체는 별 문제가 아니었다.

《바람의 위광》으로 적의 공격을 쉽게 피할 수 있는 소피스는 다소 타격을 입는다고 해도 만회할 수 있기 때문이다.

하지만 대체 무엇을 당한 것인지 모른다는 점이 두렵고 기묘하며 성가셨다.

'아직, 도망 정도는, 칠 수 있어…….'

소피스의 신장기룡은 비행형 《브리트라》.

리 프리카의 육전형 《가르구이유》를 특수 무장인 위성 병기 《금강저》로 일방적으로 공격할 수 있을뿐더러, 배면 날개의 비행장치가 작동하는 한 하늘로 달아나면 추격하지 못할 터다.

'하지만…….'

소피스가 퇴각, 혹은 소극적으로 싸운다면 리 프리카는 다시 아르마를 추격하리라.

지금 자신이 달아난다면 그녀를 구해줄 사람은 아무도 없다.

그리고 무엇보다도—.

"내 여동생이나 다름없었던 널, 그런 모습으로 내버려 두고 싶지 않아."

『달』에서 『열쇠 관리자』로서 깨어난 이후로 줄곧 혼자였던 소피스의 말동무가 되어준 자동인형.

그런데 지금은 다른 주인이 바꿔 친 기억을 따라 행동하고, 위조된 정의를 부르짖으며 악행에 가담하고 있다.

그런 상황을 용납할 수는 없었다.

"간다, 프리카. 나는 너를, 되찾고 말겠어."

소피스는 자세를 가다듬으며 각오를 다졌다.

여전히 승기가 보이지 않는 싸움에, 용기를 가지고 뛰어들었다.

†

"이 상황은…… 대체 어쩌다 이렇게 된 거지?"

신왕국의 주력인 『기사단』으로서 이번 전투의 선봉으로 나선 크루루시퍼는 이상한 낌새를 깨닫고 당황했다.

본디 『고대의 숲』에서는 신왕국 VS 『창궁사단』의 구도가 펼쳐져 있었는데, 그 두 세력의 충돌과는 별개로 주위에서 다섯 개의 전투가 전개되었다.

우선 룩스와 리샤가 『대성역』의 시설— 지하에 위치한 『원』 부근에서 전투를 시작했다.

그리고 도중에 참전한 『칠용기성』 그라이퍼와 메르가 『고대의 숲』 입구를 지키던 파수병— 사대 귀족의 사병 기룡사인 니아, 다우라와 교전 중.

뿐만 아니라 로자는 자동인형 라 클루세와 맞붙었으며, 소피스는 리 프리카와 격전을 벌이고 있다.

그러나 모든 상황을 부감할 수 있는 시야를 갖지 못한 크루루시퍼는 그 다섯 전투의 이유를 알 길이 없었다.

그녀가 자각하는 사명은 단 하나.

신왕국의 적 『창궁사단』을 무찌르는 것뿐.

하지만 룩스가 지난번 세계 개변을 깨부쉈고, 크루루시퍼 자신도 『세례』를 받아 인식 개변에 대한 내성을 얻었기 때문일까.

마침내 현재 자신들을 둘러싼 상황이 이상하다는 점을 깨닫기 시작했다.

"이 숲에서, 무슨 일이 일어나고 있는 거야……?"

그러나 지금 언급한 다섯 전투보다 더욱 이해할 수 없는 일이 일어났다.

『창궁사단』의 기룡사들은 뿔피리를 불고 어디선가 나타난 환신수(어비스) 무리를 조종해서 전력으로 사용했다.

이로 인해 신왕국군이 밀리는 분위기였는데, 그 환신수가 단숨에 쓸려나갔다.

심지어 기룡사가 아니라 종횡무진으로 하늘에서 날뛰는, 소녀의 모습을 한 단 하나의 괴물이 이룩한 결과였다.

무언가 이상했다.

크루루시퍼가 모르는 곳에서 누군가의 흉계가 진행 중임에 분했다.

'저게— 저런 게 신왕국의 아군?! 내 눈이 잘못된 게 아니라면, 지금 이 나라에서, 이 세상에서 무슨 일이 일어나고 있는 거야?'

머리 깊은 곳이 지끈거리며 크루루시퍼에게 경종을 울려댔다.

이 상황에서 진실을 파악하고 알맞게 움직이지 않는다면 자신만이 아니라 신왕국까지 함께 무너지게 될 것이라고.

"룩스 군. 너라면, 이럴 때 어떻게 했을까—?"

현재 크루루시퍼의 행동 원리는 단순했다.

『창궁사단』의 기룡사들을 하나라도 더 많이 쓰러뜨리고 리샤의 안전을 확보한다.

그 다음에는 적군을 섬멸하되, 만약 『그랑 포스』나 에이릴을 탈환할 기회가 있다면 놓치지 않는다.

그것으로 충분하다고 생각했다. 그러나—.

『크루루시퍼…… 들리, 나요?』

"……세, 세리스?! ……선배? 무사했어?!"

다음 순간, 움직이려던 크루루시퍼에게 용성 통신이 들어왔다.

룩스와 싸우고 기절했다가 지금 막 의식을 되찾은 세리스가 보낸 것이었다.

물론 크루루시퍼는 그 사실을 모른다.

전투 개시 전에 어째서인지 자취를 감춘 소녀의 목소리에서는 피로감이 묻어 나왔다.

『걱정할 필요 없습니다. 그보다도 저는, 알아챘어요…… 그가, 룩스가 이곳에 있다는 걸. 조금씩, 기억이 돌아오고 있습니다. 우리가 진정 맞서 싸워야만 하는 상대가 누구인지…… 당신도, 한시라도 빨리 알아야 해요. 그러지 못하면, 때를 놓치게—.』

"무슨 말을, 하는 거야? 당신은……."

기룡을 통해서 들려오는 세리스의 목소리에는 힘이 없었다.

하지만 크루루시퍼는 그녀의 목소리에서 불가사의한 설득력을 느꼈다.

『사실 우리는, 그날을 영영 떠올릴 수 없었을지도 몰라요. 하지만 그와 맺은 인연이 마음에 남아 있기에, 그와 싸우면서 떠올릴 수 있었던 거예요. 그를…… 룩스를 찾아서, 만나서, 얘기해보세요. 그러면 틀림없이, 떠올릴 수 있을 테니까.』

"……."

세리스가 하는 말을 이해할 수 없었다.

그럼에도 불구하고 가슴에는 동요가 일어났다.

"—룩스 군은 이『고대의 숲』전투에 참가하지 않았을 거야."

『……가세요, 크루루시퍼. 진짜 당신을 되찾기 위해서. 그리고 이 거짓된 인식을 깨뜨리고, 그와 함께 진정한 적과 싸우기 위해서.』

"세리스 선배?!"

체력이 한계에 달했는지, 세리스의 통신이 불시에 끊겼다.

"영문을, 모르겠어……."

일방적으로 듣기만 한 크루루시퍼는 의문을 중얼거렸다.

룩스는 왕도 숙소에서 요양 중이니 이『고대의 숲』에 있을 리 없다.

『대성역』을 차지하기 위한 격전도 끝났을 터다.

"그런데…… 어째서."

『후우, 연인인 척하면서 조사하는 건 생각보다 많이 지치는구나.』

기억에 없을 터인, 룩스와 함께 보낸 퍼레이드의 광경.

『어머, 룩스 군은 나랑 결혼하는 게 싫나 보네?』

단둘이서 왕도의 거리를 걸었던 기억이 되살아났다.

결국, 크루루시퍼에게 고백 기회는 없었다.

아니, **있었다.**

『그럼, 지금 예약만이라도 하게 해줘. 죄인의 목걸이에서 풀려날 때, 가장 먼저 내게 와주겠니⋯⋯?』

계속, 소년을 기다렸다.

그가 자신의 마음을 깨닫고, 인정하고, 대답해줄, 그 순간을.

그리고 전해주었다.

이 세상에서 무슨 일이 일어나든, 결코 변치 않을 크루루시퍼 자신의 결심을.

『룩스 군. 한 가지만은 잊지 말아줘. 무슨 일이 있어도 우리는— 나는 네 편이야.』

"윽⋯⋯!"

단편적인 기억의 잔재가 크루루시퍼의 머릿속에서 퍼즐처럼 맞춰지며 되살아났다.

"룩스 군, 있는 거니? 이 전장에—?"

찾아야만 한다.

구해야만 한다.

이성이 아닌 본능에 가까운 충동을 따라 크루루시퍼는 《파프니르》로 날아올랐다.

이 숲에 감도는 위화감과 위협.

그 모든 것의 답을 찾기 위해서.

†

한편 『고대의 숲』, 『아카이브』의 지상 근처에서는—.

"아이리. 몸은 정말로 괜찮은가요?"

"네…… 괜찮아요, 녹트."

예고 없이 나타난 로자 덕분에 궁지에서 벗어난 아이리는 녹트와 함께 장의 차림으로 숲에 숨었다.

두 사람은 최대한 커다란 바위를 찾아서 그 그늘에 숨은 채 서로 몸을 맞대고 있었다.

둘 다 기룡에 대미지를 입어 한동안 장갑 전개가 불가능할 만큼 부질없는 행동이었지만, 지금은 그렇게라도 마음의 위안을 얻을 수밖에 없었다.

"헤이부르그 공화국의 『칠용기성』…… 로자 씨가 왜 여기에…… 아니, 어째서 우리를 구해주었을까요?"

"……."

"아니, 그런 것보다도 어째서 라 클루셰가 이곳에 있고, 아이리를 습격한 겁니까?"

아이리는 어깨를 맞댄 채 중얼거리는 녹트의 의문에 대답하지 않았다.

『세례』를 받지 않은 녹트는 아마도 《우로보로스》에 의한 인식의 주박이 쉽게 풀리지 않을 것이다.

때문에 아이리는 진실을 토로할 수 없었다.

『성식』과 융합한 라피 여왕을 쓰러뜨리기 위해서, 신왕국을 구하기 위해서 룩스가 싸우고 있다는 사실도. 오빠를 돕기 위해서 아이리가 삼화음마저 속이고 『창궁사단』에 정보를 흘렸다는 사실도……. 트라이어드

"미안해요, 녹트…… 여러분을 속여서…… 지금은 아무것도 설명할 수 없어요……."

"그건, 룩스 씨와 관련된 건가요?"

"……."

아이리는 그 질문에 잠시 망설였지만 이내 고개를 끄덕였다.

이제 곧 입학 초부터 친하게 지내 온 이 소녀와 헤어져야만 한다.

녹트는 대외적으로 『창궁사단』의 리더로 인식될 룩스와 자신과는 얽혀서는 안 된다.

그리고 이 이상 룸메이트이자 친우인 그녀를 위험에 빠뜨리고 싶지 않았다.

진실을 인식하고 자진해서 목숨을 걸기로 각오한 사람이라면 몰라도, 아무것도 모르는 채로 휘말린 친구를 계속 이용할 수는 없었다.

"많이 늦었지만…… 미안해요, 녹트. 앞으로는 저는 신경 쓰지 말고, 본인의 안전을 우선해 줄래요? 저는 반드시 해내야만 하는 일이 있어요."

"그 얘기는, 지금 이런 상황에서, 여기서 헤어지자는 의미인

가요?"

녹트는 핵심을 짚으며 직설적으로 반문했다.

아이리는 말없이 고개를 끄덕이며 수긍했다.

그러나 돌아온 대답은 아이리의 상상과 달랐다.

"그렇다면, 알겠습니다. 저는 아이리를 따라가겠어요. 마지막 순간까지 당신을 돕겠습니다."

"윽……!"

늘 냉정한 표정을 유지하던 녹트가 드물게도 온화한 미소를 지으면서.

아이리에게 협력을 제안했다.

"어째서……죠?"

"제가 그렇게 하고 싶기 때문이에요. 그러면 안 되나요?"

솔직한 대답이 돌아오자 아이리는 자기도 모르게 말을 더듬었다.

"하지만, 녹트에게는 녹트의 입장이—."

"세상에 둘도 없는 친우를 버리고 가면 샤리스가 불같이 화낼 겁니다. 그리고 좋아하는 사람의 동생을 지키지 않을 수는 없지요."

"……그 얘기는, 설마……."

별 것 아니라는 투의 어조였지만, 녹트는 그 대답으로 어떤 사실을 분명하게 밝혔다.

"Yes. 저도 룩스 씨를 좋아합니다. 『기사단』의 멤버라서, 아이리의 오빠라서가 아니라, 제 개인의 감정으로요."

그녀답지 않은 말을 한다는 자각이 있는 것인지 녹트의 볼에는 발그스레한 홍조가 떠올랐다.

"아이리는 어느 때건 룩스 씨를 위해서 각오를 다져왔지요. 그런 아이리와 같은 시선으로, 저 역시 룩스 씨를 봐왔습니다. 그러니까 분명 같은 마음일 거예요."

"……그런, 가요."

녹트는 세계 개변에 의한 인식의 주박이 풀리지 않았음에도 불구하고 어디 있는지조차 모르는 룩스를, 그리고 그 룩스를 지키기 위해서 움직이는 아이리를 흔쾌히 돕겠다고 해주었다.

그녀와 헤어지지 않을 이유는 그것 하나로 충분했다.

"모두의 마음을 독차지하다니, 오빠도 참 나쁜 사람이네요. 나중에 날을 잡고 혼내줘야겠어요."

"네, 같이 혼내줍시다. 그러니까 함께 살아남아요, 아이리. 룩스 씨를 구하기 위해서―"

아이리와 녹트는 태세를 정비할 시간을 벌면서 숨을 가다듬고 눈앞의 싸움을 지켜보았다.

자신들처럼 룩스에게 호의를 품은 이들의 싸움을―.

"갑자기 소극적으로 변했네―. 인형도 겁은 먹나 봐―?"

로자는 신장기룡 《고리니시체》를 몰아 방어에 집중하는 라클루셰와 《뷔브르》를 과감하게 공격했다.

"……겁을 먹어요? 당신 따위에게? 의미를 모르겠다는 거예요. 약한 개일수록 잘 짖는다고 하던데— 당신도 그런 부류인 가 보네요."

하지만 라 클루셰는 로자에게 밀리는 와중에도 냉정했다.

크게 휘둘러 대는 사이즈를 신중하게 피하는 동시에 로자 의 마음을 읽고 그 정신을 해부했다.

아이리의 추격을 포기하고 대상을 하나로 줄인 덕분에 《뷔 브르》의 《천리안》은 정밀도가 더욱 향상됐다.

『로자는 덫을 깔아두었는가?』 해답— 시인.

『그 덫은 특수 무장을 이용한것인가?』 해답— 시인.

『그 덫은 가짜 로자를 미끼로 쓰는 것인가?』 해답— 시인.

하나씩, 하나씩.

차례차례.

라 클루셰는 몇 초 간격으로 로자의 사고를, 나아가서 전략 을 해석했다.

『방주』의 통괄자 라 클루셰가 신장기룡 《뷔브르》를 기동한 것은 대체 얼마만일까.

사람의 마음을 해석하는 이 신장으로도 자신을 창조한 주 인 아샤리아를 구할 수는 없었다.

'마스터…… 죄송해요, 인 거예요.'

천 년도 더 된 과거. 만약 자신이 그때 아샤리아를 죽인 『배 신자 일족』의 사악한 마음을 꿰뚫어 보았다면.

두 눈을 뜬 채로 은인이 살해당하는 일은 없었을 것이다.

누군가가 『성식』의 시스템을 건드려서 독이 섞이는 일도 없었을 것이다.

이제 그 시스템을 바르게 수정할 수 있는 사람은 아무도 없다.

아샤리아가 바랐던 진짜 미래를 아는 것은 불가능하다.

그렇다면— 라 클루셰는 이 『대성역』과 함께 그 신념을 지킬 따름이다.

자신의 힘으로 그것을 증명할 따름이다.

'내게 마음을 주신, 아샤리아 님을 위해서!'

자유자재로 신축하는 특수 무장 《양염용인》을 휘두르면서 자동인형의 마음과 기술을 총동원하여 로자와 맞서 싸웠다.

적은 헤이부르그 공화국에서 가짜 악을 연기해왔던 소녀.

절대적인 악을 신봉한 끝에 배신당했고, 지금은 숭배 대상을 룩스로 바꾼 모양이었다.

"다른 이에게 기대지 않으면 자기 자신을 유지할 수 없는— 그런 약한 마음으로는 저를 쓰러뜨릴 수 없는 거예요."

"한낱 기계 주제에 마음을 논하다니. 공교롭게도 그런 정신 공격은 이미 실컷 당해봐서 익숙하거든."

로자는 라 클루셰의 조롱을 코웃음으로 받아넘기며 《고리니시체》의 사이즈를 매섭게 휘둘렀다.

하지만 라 클루셰는 《뷔브르》의 신축 가능한 블레이드 《라스터 에지》를 뻗어 자신의 배후를 노린 공격을 막아냈다.

"……?!"

《고리니시체》가 보유한 특수 무장.

열두 기의 무인기, 《열두 개의 감옥》을 이용해서 라 클루셰의 배후에서 강습하는 척하며 눈앞에 있는 로자가 공격했다.

즉, 동시공격이므로 설령 상대가 로자의 마음을 읽었다고 해도 쉽게 피할 만한 것은 아니었다.

"모르겠나요? 제가 어떻게 그 공격을 쉽게 막아낸 건지—."

《뷔브르》는 《고리니시체》가 휘두르는 사이즈의 날을 받아넘기는 기세로 반전하며 신속하게 가로로 베었다.

뒤로 물러나며 확실하게 피했다고 생각했던 칼날이 로자를 보호하는 어깨 장갑에 명중했다.

쩌엉!

"뭐야……!"

자유자재로 신축하는 블레이드의 공격은 거리를 벌려서 회피하기가 쉽지 않았다.

그 문제를 떠나서 무언가 이상했다.

마치 로자의 『이 상황이라면 뒤로 뛰어서 회피한다』라는 움직임을 완벽하게 읽어낸 듯한—.

"가식적인 거짓말쟁이일수록 근본은 겁쟁이인 거예요. 반격할 수 없는 상황이라면 당신은 앞으로 나서지 않고 후퇴할 거다— 그 해석대로 움직인 거예요."

"……."

지금까지 호전적인 웃음을 머금고 있던 로자의 표정이 딱딱하게 굳었다.

라 클루셰가 시간을 들여 굳이 방어에 전념한 이유는 수백—아니, 수천 개의 『질문』을 로자에게 던져서 《천리안》으로 판정했기 때문이다.

다시 말해 현재 로자의 사고를 읽어내는 게 아니라 모든 행동 패턴을 파악하려 하는 것이었다.

이렇게 고착 상태로 노려보는 동안에도 계속.

자동인형다운 데이터 수집 및 계산 능력으로 상대는 수읽기의 정밀도를 현격히 높이고 있다.

로자의 마음이, 1초마다 분해되어 간다.

"닮았다고 생각했나요? 당신이 존경하는 룩스 아카디아의 간파와."

"핫."

라 클루셰의 말을 듣고 로자는 무심코 실소했다.

그럴리가 없다.

룩스의 간파는 어디까지나 수천, 수만의 경험을 쌓아 올린 끝에 완성한 수읽기다.

《뷔브르》의 신장처럼 손쉽게 마음을 읽고 해석하는 능력과는 근본부터 달랐다.

"똑같이 취급하지 말라고 말하고 싶은 모양이네요. 그렇다면 산산조각 내주겠다는 거예요."

대치한 로자는 표정이 없는 자동인형의 얼굴에 희미한 미소가 떠오른 듯한 착각을 받았다.

"인간이 가진 마음이라는 게 얼마나 나약하고 딱한 건지,

그 몸에 새겨드리도록 하겠어요."

†

"되찾겠다니, 실소가 나오네YO. 저는— 우리 자동인형은 당신네 『열쇠 관리자』의 기술로 창조되긴 했지만, 제 부모는 아샤리아 님과 그녀가 인정한 마스터뿐 입니DA."

그리고 로자와 라 클루셰가 싸우고 있는 곳에서 서쪽으로 100메르 정도 떨어진 지점에서는, 소피스와 『달』의 통괄자 리 프리카가 교전 중이었다.

로자는 아이리를 지키는 싸움.

소피스는 아르마를 지키는 싸움이라는 차이는 있지만, 어느 한쪽이라도 패배한다면 승기는 신왕국 진영 쪽으로 크게 기울 것이다.

로자와는 달리 『세례』를 받아본 소피스는 차츰 진실을 깨닫게 되었다.

폐도 게르니카의 대전에서 후길에게 패배했고, 《우로보로스》의 세계 개변 능력에 인식이 조작된 것이라고.

"나는 이제, 진실을 깨달았어. 조종당하는 너의 헛소리는 안 들을 거야."

"말은 그럴듯하게 하는군YO. 하지만—"

리 프리카는 연황색 중장갑으로 뒤덮인 육전형 신장기룡 《가르구이유》로 활주하며 소피스에게 육박했다.

아무리 전력으로 활주했다지만, 둘의 거리는 꽤 떨어져 있었는데도 순식간에— 비유가 아니라 콤마 1초 정도의 시간조차 느낄 새도 없이 정신을 차리고 보니 적은 소피스의 간격 안에 있었다.

"또? 대체 뭐야?!—아악!"

할버드의 길이를 살린 찌르기.

육전형의 중량을 실은 그 일격은 《브리트라》의 장벽을 쉽사리 뚫고 장갑에 명중했다.

가까스로 환창기핵^{포스 코어}이 내장된 어깨 쪽의 대미지는 피했지만, 충격으로 소피스의 몸에 둔탁한 통증이 밀려왔다.

"당신들은 불필요한 행위를 하고 있어YO. 『대성역』이— 나아가서는 『성식』이 선택한 주인에게 세계를 통치하는 영광을 안겨주는 것이 우리의 사명. 그것이 이 세계를 올바르게 이끄는 행위입니DA!"

"……큭! 《바즈라》!"

소피스는 멀리 밀려난 자신을 추격하는 리 프리카와 《가르구이유》를 대상으로 특수 무장을 기동.

타이밍에 맞춰 리 프리카의 이동지점에 낙뢰를 내리꽂으려던 직후, 또다시 《가르구이유》가 순간이동을 해서 **미리 피했다.**

조금 전처럼 소피스가 전혀 눈치채지 못한 사이에.

"—?! 어떻, 게……."

"쓸데없는 저항을 하는 군YO."

세리스의 《린드부름》처럼 순간이동의 신장을 사용한 건가 생각했지만, 그럴 리는 없었다.

동일한 신장기룡이거나 복제하지 않는 한, 동일한 신장은 존재할 수 없다.

"《바람의 위광》!"

접근한 《가르구이유》와 거리를 벌리기 위해서 소피스는 궤도 제어 신장을 발동하여 뒤로 크게 후퇴했다.

너무 멀어지면 아르마가 공격받게 될 테니 아슬아슬하게 이쪽의 추격이 닿는 거리였다.

"진실을 아는 것에 무슨 의미가 있는 겁니KA? 당신처럼 잘못만 저지르는 불완전한 생물 따위가."

"……?!"

허무한 어조로 중얼거린 리 프리카는 《가르구이유》의 굵은 팔뚝으로 기룡조인 여러 자루를 투척했다.

이에 소피스는 블레이드를 중단 자세로 들고 대처했다.

리 프리카의 말에서 미미한 동요를 느끼면서.

'확실히, 나는 실수했어.'

유적『달』에서 냉동수면으로 잠들어있던 그녀는 홀로 깨어났고, 과거의 기억은 떠올리지 못했다.

아는 것은 현실. 그리고 과거의 역사.

유적이 사람들의 욕망을 자극해서 분쟁의 원인이 되었고, 비참한 전쟁이 터졌다는 사실.

살아야 하는 이유도 모르는 소피스는 하다못해『열쇠 관리자』의 사명을 완수하고자 신용할 수 없는『창조주』나 지금 시대의 권력자들에게서 유적을 멀리 떼어놓고, 자신이 직접 관리하는 길을 선택해서 세계를 상대로 전쟁을 벌였다.

루인

하지만 『용비적』에게 배신당해 실패하고 말았다.

그때 룩스가 없었다면, 그녀는 누구와도 인연을 맺지 못한 채 죽음을 맞게 되었으리라.

"하지만— 이젠, 그렇지 않아."

흔들리려는 마음을 다잡으며 소피스는 집중했다.

상대가 투척한 대거의 궤도를 《바람의 위광》으로 틀어서 되돌리고, 상대가 주춤하는 틈을 찔러서 《바즈라》의 낙뢰를 방출. 추가로 블레이드로 공격해서 쐐기를 박는다.

그럴 계획이었다.

분명히 그렇게 하려고 생각했지만—.

적이 투척한 대거는 《바람의 위광》에 영향을 받지 않고 어느새 《브리트라》의 장갑에 꽂혀 있었다.

"으, 아아악……?!"

장갑을 관통한 대거가 소피스의 팔다리를 얕게 찢으며 격통을 선사했다.

'어째서?! 왜—.'

소피스는 날아오는 대거에서 한순간도 눈을 떼지 않았다.

그런데 깨닫고 보니 어느새 적의 공격이 명중한 뒤였다.

설령 《가르구이유》의 신장이 물질 순간이동이라고 해도 이상했다.

왜냐하면 소피스는 **대거가 시야에서 사라진 순간조차도** 인식하지 못했으니까.

'뭔지, 모르겠어…… 《가르구이유》의 신장의 비밀을…… 이대로는, 당하게 될 거야.'

"아무것도 모르는 채로 죽는 겁니DA. 자기 자신조차 모르는 당신에게는 그게 잘 어울린다GO요."

자세가 무너진 소피스를 향해 맹렬하게 돌진하는 리 프리카.

절망의 사선이 가까워지는 와중에, 소피스는 저 멀리서 누군가가 외치는 소리를 들었다.

"一."

"一룩, 스?"

멀리 떨어진 장소에서 쩌렁쩌렁 울려 퍼지는 용맹한 외침은 틀림없이 그 소년의 것이다.

그 역시 근처에서 누군가와 치열한 싸움을 벌이고 있다.

그 사실을 깨달은 찰나, 소피스의 뇌리에서 어떤 기억이 되살아났다.

소피스는 유적 『달』의 냉동수면에서 깨어난 뒤 자동인형 리프리카, 여동생 우르크와 함께 살았다.

바깥 세계와 단절된 그 좁은 세계에서, 동생은 계속 꿈꿨다.

『있잖아, 언니. 나, 지상 세계를 보고 싶어!』

자신들이 시대와 격리되면서까지 살아온 이유는 분명 누군가와 서로 이해하기 위해서라고 믿었다.

『열쇠 관리자』도 그렇게 긴 여행을 한 끝에 자신들을 받아

들여줄 아카디아 일족과 만났으니까.

그런 소망을 품었던 동생은 유적의 기술을 탐내던 인간들에게 속아 살해당했다.

희망을 잃은 소피스는 다시는 누구와도 인연을 맺지 않고, 유적을 지키기 위해 홀로 싸우겠다고 각오했다. 그러나—.

『너를 여기서 놓치면, 앞으로 대화할 기회가 없을 거야……나는 너랑, 싸우고 싶지 않아.』

마기알카에게 당해서 붙잡힌 후, 감옥 안에서 대화한 룩스는 그동안 겪어본 인간들과 달랐다.

다른 이들은 전부 자신의 이익을 위해 싸웠다.

그러나 그는—.

소피스를 돌봐준 룩스의 여동생 아이리를 포함하여 그의 주위에 모여든 이들은 다들 그를 위해서— 뿐만 아니라 자기 이외의 타인을 위해서도 싸웠다.

『어떻게 해야 날 믿어줄지 모르겠지만, 할 수 있는데 까지는 해볼 거야. 나는, 그 정도밖에 할 수 없으니까.』

곤란한 듯한 룩스의 미소는 눈에 선명하게 새겨져 있었다.

사실은, 이 세상 사람들에게 인정받고 싶었다.

고집스럽게 관계 구축을 거부하는 자신을 포기하지 않고 찾아와 열과 성을 다해 대화를 시도해주었다.

'내 삶의, 첫 번째 친구. 룩스도, 리 프리카도 그래—.'

그들이 포기하지 않았던 것처럼, 자신도 포기할 수는 없었다.

그것이 소피스가 지금 이곳에서 싸우는 이유였다.

"《바람의 위광》!"^{마하푸르나}

낮은 진동음과 함께 《브리트라》의 장갑이 빛을 발하며 궤도 제어의 신장이 발동.

조종 대상은 자기 자신이 아니라 활주해서 접근하는 리 프리카와 《가르구이유》다.

"……잔꾀를 부리는군YO."

옆으로 급커브를 돌게 된 리 프리카는 눈앞에 닥친 나무들을 할버드로 베어 넘겼다.

하지만 완전히 발이 묶여버렸다.

그 사이에 《브리트라》는 상승해서 태세를 정비했다.

"그래, 나는 룩스에게 배운 게 있어."

그것은 반복되던 사흘간의 퍼레이드, 그 첫날. 『칠용기성』의 멤버로서 연회에 함께 참석했을 때다.

『룩스는 어쩜 그렇게 친구나 연인이 많아? 내게도 요령을 가르쳐줬으면 해.』

처음 마셔 보는 술에 취해서 그런 질문을 했던 것이 기억났다.

그러자 룩스는 연인은 없다면서 오해를 푼 다음 당황한 듯한 태도로 이렇게 가르쳐주었다.

『나도 이러쿵저러쿵 말할 만큼 잘 아는 건 아니지만, 한쪽 견해에 사로잡히지 않는 게 중요한 것 같아. 그 뭐야, 편견을 갖고 적이네, 아군이네 생각하면 그렇게밖에 안 보이게 되니까.』

『확실히, 소년은 친구의 가슴만이 아니라 발이나 겨드랑이

등 다양하게 보고 있지.』

『그런 뜻이 아니거든! 슬그머니 날 형편없는 남자로 만들지 마! 애초에 소피스의 옷이 노출이 심해서 그런 거지, 항상 그런 부위만 보고 있는 건—.』

끝에 가서는 장난스럽게 놀렸지만, 그런 내용의 대화를 나누었다.

'그래…… 한 관점에 사로잡히지 마. 본질을 알아내기 위해서는 상대를 움직여보면 돼.'

만약 《가르구이유》가 시간을 정지시키거나 순간이동 능력을 지녔다면— 조금 전 《브리트라》의 신장을 그것으로 피했을 터다.

'그것도 날 속이기 위한 양동일까? 아니…… 상대의 숨통을 끊을 순간을 굳이 넘길 리가 없어.'

소피스의 결론에 의하면 상대는 피할 방법이 없었다.

다시 말해 《가르구이유》의 신장은 시간 정지나 순간이동 부류가 아니다.

하지만 소피스가 눈치채지 못하는 사이에 공격하고 있다. 그렇다면—.

"—알아냈어, 룩스. 내가 깨닫지 못한 걸, 깨닫게 해준 네 덕분에."

소피스는 홀로 중얼거리며 주먹을 불끈 쥐었다.

세계 개변으로 사라진 소피스의 기억.

연회에서 룩스의 손을 맞잡았던 감촉이 지금도 손에 남아 있다.

그러나 다음 순간, 시간이 건너뛰었다.

"─?!"

콰앙!

둔중한 충격이 소피스의 등부터 가슴까지 관통했다.

"으, 아앗……!"

배후에서 날아온 바위 산탄에 배면 날개를 강타당한 《브리트라》의 고도가 크게 낮아졌다.

또다시 소피스가 눈치채지 못한 사이에─ 리 프리카가 어디선가 공격을 퍼부었다.

'위치를, 모르겠어. 프리카는 숲에 숨어서 공격했어.'

바위는 등 뒤에서 날아왔지만, 지금은 이동해서 적어도 바로 뒤에는 없을 것이다.

비행형의 장점인 추진 장치를 공격받아 고도가 강제적으로 내려갔다.

적이 노리는 바는 명확했다.

이제 수풀 속에서 《브리트라》를 노리고 접근해서 일격으로 소피스의 숨통을 끊으려 할 것이다.

"무슨 짓을 하든 헛수고예YO! 올바른 우리가 패배하는 일은─."

귀에 익은 자동인형의 목소리.

친동생처럼 아꼈던 소녀의 목소리가 어디선가 들려온다.

『대성역』과 접속한 라피의 관리 하에 들어가 의지를 빼앗기

고만 그녀의 목소리가—.

"그것도, 편견이야. 리 프리카."

예전의 가족에게 농밀한 살의를 받으며.

《브리트라》의 출력이 저하되어 날아서 달아날 수도 없는 절망적인 상황 속에서.

그래도 소피스는 동요하지 않고 조용히 대꾸했다.

"내가, 『열쇠 관리자』가, 이 시대 사람들과 서로 이해할 수 없다고 생각한 것도. 우리라면 올바른 판단을 내릴 수 있다고 생각한 것도 다 틀렸고, 그저 알아차리지 못했을 뿐이라는 걸, 너와 룩스가 깨닫게 해줬어. 그러니까—."

"그렇습NI까. 그럼 멋대로 하시든가YO. 하지만 당신은 절 쓰러뜨릴 수 없습니DA—. 왜냐하면!"

그 순간, 살짝 거리가 떨어진 지면에서 폭음이 들렸다.

직후, 수십 메르 정도 떨어진 정면에서 갑자기 《가르구이유》가 나타났다.

주변 소리와 기척에 주의를 집중하던 소피스는 그 모습을 보고 눈을 부릅떴다.

"그 형태는……『한계돌파(오버 리미트)』?!"

리 프리카는 《브리트라》가 다시 날아오르기 전에 끝장낼 작정으로 기룡의 리미터를 전부 해제하고 최강의 형태로 변형했다.

《브리트라》의 위성 병기 《바즈라》의 낙뢰가 《가르구이유》에게 떨어졌지만, 상대는 그것을 **미리 피했다.**

조금 전 리 프리카가 수풀에 들어간 목적은 몸을 숨긴 채 소피스에게 접근하기 위해서만이 아니라—.

"『한계돌파』 변형 시간을 벌기 위해서—."

"이제 깨달아봤자 늦었습니DA! 당신은 이미 졌다고YO!"

포착할 수 없는 속도로 돌진하는 《가르구이유》.

동시에 그 두꺼운 장갑이 격렬하게 빛나면서 정체불명의 신장이 기동했다.

리 프리카에게는 확신이 있었다.

소피스는 자신의 다음 일격을 피할 수 없다. 방어도 할 수 없다. 몸을 숨기는 것조차 불가능하다.

따라서 방어는 도외시한 채, 오로지 할버드로 소피스를 양단하기 위해서 자세를 잡은 찰나—.

"앗—?!"

《가르구이유》의 중심이 앞으로 덜컥 쏠렸다.

장갑 다리의 바퀴가 공중으로 뜨면서 땅에 엎드린 소피스와 《브리트라》의 머리 위를 뛰어넘는 궤도로, 그 뒤에 있던 거대한 바위와 격돌했다.

"컥……! 이, 이게 무슨 일이JYO?! 고장인가YO?! 하필 이럴 때!"

만에 하나라도 소피스에게 당할 일은 없다.

왜냐하면—.

"상대는 막고 싶어도 **의식조차 못할 테니까.** 그렇게 생각했어?"

"윽……?!"

맹렬한 스피드로 바위와 격돌한 충격에 장갑이 부서진 리 프리카를 소피스가 올려다본다.

"《바람의 위광》으로 제 궤도를 바꾼 겁니KA?! 하지만 어떻게—."

장갑 다리의 바퀴를 띄워 밸런스를 무너뜨리는 동시에 뒤에 있는 바위와 격돌하게끔 적의 궤도를 조작한다.

그것 자체는 《브리트라》라면 할 수 있는 일이지만, 실제로 행동에 옮기기란 불가능할 터다.

왜냐하면 《가르구이유》의 돌진 궤도를 조작하려면 고도로 집중, 접근한 상태에서 신장을 써야 하기 때문이다.

그리고 알맞은 거리에 접근했을 때면—.

"내 의식이 어둠에 삼켜질 터. 그러므로 어떤 대응도 불가능하다. 맞지?"

"헉……?!"

소피스의 지적에 리 프리카는 침묵했다.

그것이 해답이었다.

육전형 신장기룡 《가르구이유》의 신장은 사정권 내에 있는 특정 상대의 의식 자체를 순간적으로 집어삼키는 것이다.

몇 초간 의식을 빼앗는다.

때문에 무슨 짓을 당했는지조차 알아차릴 수 없다.

시간을 건너 뛴 것처럼 느끼게 된다.

"대, 대체 어떻게 한 거JYO?! 무슨 수로 사라진 의식 속에서 반격을—."

"동물 귀는 기억력이 나쁘네. 다 옛날에 네가 가르쳐준 건데—."

소피스는 도끼눈을 뜨고 《브리트라》의 기공각검을 겨누었다.

그 순간 자그마한 빛의 창틀 여러 개가 장갑 주위에 떠올랐다.

"아......!"

조율— 기룡 시스템의 재구축.

그것을 본 리 프리카는 그제서야 소피스가 선보인 트릭을 이해했다.

기룡을 육체조작, 정신조작으로 조종할 때는 극도로 짧은 타임래그가 존재한다.

평소에는 수백 분의 1초도 안 되는 시간이지만, 기룡이 손상됐을 때는 이 타임래그가 늘어나는 경우가 있다.

과거에 『달』에서 전투 시뮬레이션 훈련을 하던 중 《바즈라》를 잘못 사용해서 자폭하는 바람에 뇌격의 여파를 뒤집어쓴 적이 있다.

그때, 리 프리카가 자신만만하게 해설해주었다.

『에휴, 소피스도 갈 길이 멀군YO. 그럴 때는 조율을 쓰면 됩니DA.』

조율로 설정을 변경하면 기룡을 조작했을 때의 반응을 늦출 수 있다고.

정리하자면, 의식에 공백이 생기며 타임래그가 발생할 것을 미리 예상하고, 《가르구이유》가 신장을 발동한 순간에 타임래그로 인한 오차를 보정한 조작 명령을 내려두었다— 라고 할 수 있다.

자신이 쓸 거라고 생각한 몇 초 후에 시간차로 기룡을 조작하기 위해서.

물론 리 프리카가 경계해서 페인트나 급정지를 했다면 소피스가 당했을 것이다.

하지만 소피스는 그 도박에서 승리를 거머쥐었다.

"으…… HAJI만! 아직 패배한 건……!"

리 프리카는 충돌로 파손되어 너덜너덜해진 《가르구이유》를 억지로 조작해서 낙하하는 와중에 소피스 쪽으로 할버드를 힘껏 쳐들었다.

소피스는 그 모습을 보며 평소의 무표정을 무너뜨리고 슬픔으로 물든 얼굴을 들어 올렸다.

"미안해, 리 프리카. 네 마음을, 되찾아주지 못해서."

『열쇠 관리자』였던 소피스는 안다.

자매처럼 자신을 지탱해주었던 그녀의 의식은 사라지고 말았다.

자동인형에게 기억은 생명.

그것을 빼앗기고 말았다는 사실에 소피스는 눈물을 흘리고, 후회했다.

"하지만, 나와 함께 지내던 때의 너야말로, 진짜 너라고 생각해. 그러니까— 지금까지, 고마웠어. 최선을 다할게."

—파지지직!

그리고 리 프리카와 《가르구이유》를 《바즈라》의 번개가 꿰뚫었다.

"아, 아……!"

마지막 공격을 막은 직후, 《브리트라》의 블레이드가 《가르구이유》의 어깨에 꽂히며 환창기핵을 파괴했다.

"하아…… 하아……!"

소피스는 《브리트라》의 장갑을 해제하고 눈이 쌓인 땅바닥에 주저앉았다.

주위에는 적으로 돌아선 가족의 잔해가 흩뿌려져 있었다.

"울고 있을 때가, 아니야."

하지만 매서운 추위와 피로감에 의식이 차츰 멀어졌다.

휘청거리다가 균형을 잃고 쓰러지려던 찰나에 뒤에서 기척이 느껴졌다.

"이런 곳에서 자면 감기 걸린다? 뭐, 나야 이런 추위쯤은 익숙하지만."

"……으?! 당신은 유미르 교국의?"

"당신이라니, 이름 정도는 기억해 달라구……."

소피스는 새로운 적인가 싶어서 순간적으로 경계했지만, 나타난 것은 웨이브진 백금색 머리의 어린 소녀였다.

같은 『칠용기성』의 일원이자 폐도 게르니카에서 함께 싸웠던 소녀, 메르 기잘트다.

지금까지 그라이퍼와 함께 『고대의 숲』을 감시하던 사대 귀족의 기룡사— 니아와 다우라를 상대하고 있었다.

"이쪽은 간단하게 정리돼서 응원하러 왔는데, 쓰러뜨렸나 보네. 그런데 그 자동인형은 분명—"

"응, 내 여동생이나 다름없던 아이. 유적 『달』에서 내가 깨어난 뒤로, 계속 곁에 있어 줬는데…….”

“……그렇구나.”

소피스와 다르게 메르는 아직 《우로보로스》의 인식 조작이
풀리지 않았다.

하지만 그래도 무언가 이상한 상황으로 인해 리 프리카가
적으로 나타났다는 것만은 이해할 수 있었다.

“역시 유적과 관련된 중요한 일이 이곳에서 일어나고 있나
보네.”

“응…… 얘기, 들어줄래? 아마도, 조금씩 기억이 돌아오고
있는 것 같아.”

“그럴까? 나도 신경 쓰였으니까. 하지만 그 전에—.”

메르는 신장기룡 《드래이그 귀버》의 장갑 팔로 소피스의 몸
을 조심스럽게 안아 올렸다.

기룡에 내장된 히터로 차게 식어버린 몸을 녹여주었다.

“일단 응급처치부터 하고, 쉬면서 얘기해줘.”

“……놀랐어. 당신, 냉정한 줄 알았는데, 의외로 상냥해.”

“메르 기잘트야. 까먹지말고 외워. 고향도 출신도 다르지만
같은 배를 탄 동료잖아. 그리고—.”

메르는 불현듯 슬픈 표정을 지으며 속삭였다.

“난 아직 어리지만, 당신이 지금 어떤 심정인지는 잘 알아.
마음의 버팀목이었던 소중한 사람을 떠나보내는 게 얼마나
괴로운지…….”

메르도 과거에 자신의 어머니나 다름없던 은인— 오르펠을

잃었다.

하지만 룩스와 크루루시퍼가 곁에 있어준 덕에 다시 일어설
수 있었다.

"그럼, 조금만, 울어도 될까?"

"……응, 모두에겐 비밀로 할게."

메르는 힘이 빠진 소피스의 몸을 안아주었다.

소중한 것을 잃은 이의 곁에서, 새로운 무언가를 얻은 기분
이 들었다.

†

"하아, 하아……! 룩스…… 님?!"

같은 시각.

룩스가 터뜨린 포효 같은 외침은 근처에서 싸우던 로자도
똑똑히 들었다.

비행형 신장기룡《뷔브르》가 견고한 육전형 신장기룡《고리
니시체》를 몰아붙이고 있었다.

자유자재로 신축하는《라스터 에지》의 특징은 접근전과 중
거리전을 적절하게 전환할 수 있다는 것.

그 강점은 상대의 전략에 맞춰서 최적의 행동을 실현할 수
있다는 점에 있다.

그리고 라 클루셰는 신장《천리안》으로 로자의 특기 전술
을, 공격을 낱낱이 해석해서 격파했다.

"어라, 동요하고 있는 것 같네요. 룩스 아카디아가 그렇게 걱정되는 건가요?"

라 클루셰는 《뷔브르》의 기룡식총으로 탄막을 뿌리며 로자를 몰아붙였다.

《고리니시체》의 신장 《연옥기구》를 기동하려면 강력한 집중력이 필요해서 공격당하는 동안에는 합체변형을 할 수 없다.

최대 출력을 발휘할 수 있는 합신형태라면 승산이 대폭 늘어날 텐데, 적은 그럴 시간을 주지 않았다.

기계처럼 정밀하고 적확하게 《고리니시체》의 장갑을 갉아먹으며 승부를 결정지을 타이밍을 노리고 있었다.

"……큭!"

라 클루셰는 장갑 사이의 틈을 노려서 로자의 육체에 피해를 입혔다.

지금도 《고리니시체》의 장갑 틈에 브레스 건을 쏘아서 고통과 공포를 심어주었다.

상대의 마음을 부수는 것— 그것이 현재 라 클루셰의 전략이다.

기룡사에게는 조작능력이 중요하다고 생각하기 마련이고 실제로도 그렇기는 하지만, 제 능력을 발휘하기 위해서는 강한 정신력이 필수 불가결하다는 점은 간과하기 십상이다.

제아무리 뛰어난 기술을 지녔다고 해도, 그것을 완벽하게 발휘할 수 있게 해주는 강한 마음이 뒷받침되지 않으면 최고의 퍼포먼스를 발휘할 수 없다.

그리고 마음의 평정심을 잃은 기룡사가 얼마나 부서지기 쉬운지, 라 클루셰는 유적에 남은 기록을 통해서 알고 있다.

"아픔은 잘 참는 것 같네요. 그런 훈련을 받은 것으로 보이는 거예요. 아니, 일상적으로 폭력을 당했다고 표현하는 게 정확할까요?"

"주제넘은……."

로자 그랑하이드의 과거.

로자가 어렸을 때— 부모님은 아무 성과 없는 전쟁을 계속하는 정부에 항의했다가 목숨을 잃었고, 남겨진 그녀는 고문당하고 학대당했다.

그리고 죽어가던 그녀는 한 군인에게 거두어졌다.

이미 마음이 망가진 로자는 세뇌에 가까운 교육을 받은 끝에 스스로 악역을 연기했고, 대외적으로는 헤이부르그 공화국의 『악한 왕』으로 군림했다.

자신이 사실은 남의 입맛에 맞게 조종당하고 있음을 알았지만, 달리 살아갈 방법을 몰랐다.

그날.

비가 쏟아지는 헤이부르그 공화국 시가지의 전투에서 룩스에게 패배할 때까지는—.

자신의 가면을 깨부수고, 구원해준 압도적인 강함과 상냥함.

그것을 보고 로자의 마음은 움직였다.

이 사람을 위해서 살 수 있다면 두려운 것은 없다고.

어두운 그림자가 드리운 자신의 인생을 밝혀준다면—.

"─하아앗!"

대형 사이즈를 힘차게 들어 올리며 로자는 《고리니시체》의 기공각검을 뽑았다.

정신조작으로 무인기 《테일즈 바이스》를 동시에 조종해서 일제 공격을 시도했다.

"……조잡한 명령이긴 해도 무인기를 일제히 움직이면 제 쪽에서도 움직임을 예상하기 어렵죠. 불확정 요소를 전략에 포함시키는 대항책인 거군요?"

"─?!"

비록 노리는 바는 라 클루셰에게 읽혔지만, 로자의 선택은 정확했다.

무인기의 공격은 라 클루셰의 《뷔브르》에 어느 정도 명중했다.

하지만 핵심이라 할 수 있는 《고리니시체》 본체의 공격만큼 은 확실하고 신중하게 방어하며 직격을 피했다.

"이 협공의 목적은 본체의 공격을 극대화하기 위한 것. 즉, 무인기의 단조로운 공격은 맞아도 치명적이지 않은 거예요. 따라서─."

촤앙……!

칼날을 맞댄 상태에서 《라스터 에지》의 길이를 늘리고, 그 기세로 《고리니시체》의 사이즈를 튕겨냈다.

"헛……?!"

로자는 즉각 장벽을 강화해서 버티려고 했지만, 라 클루셰 와 《뷔브르》는 이미 로자의 코앞까지 육박해있었다.

평범한 사용자라면 무기를 든 적 기룡사가 육박할 경우 장벽의 출력을 끌어올려 방어에 집중한다.

그러나 로자는 신속하게 기룡포효(하울링 로어)를 방출하고 공방일체의 태세에서 즉시 반격하려고 했지만—

"그러니까 뻔히 보인다는 거예요. 당신의 생각 정도는."

이를 예상한 라 클루셰는 급선회하며 로자의 배후로 돌아들어갔다.

그러나 무방비한 등을 공격하기 직전에 위화감을 느꼈다.

"그래? 확실히 네 말이 맞을지도 모르지만— 기룡해방(브레이크 퍼지)!"

"……큭."

로자의 《고리니시체》가 쏘아낸 장갑이 등 뒤의 라 클루셰에게 쏟아졌다.

자신의 장갑을 부분적으로 해제해서 산탄처럼 사출하는 브레이크 퍼지는 하울링 로어처럼 환창기핵의 에너지를 크게 소모하는 탓에 연발은 불가능하다.

그런데 라 클루셰가 직전에 회피한 하울링 로어는 산들바람 급으로 약한 출력이라 소모한 에너지도 적었다.

즉, 첫수는 페이크였다.

"……그런 방법도, 있었군요."

장갑 산탄에 난타당한 《뷔브르》의 자세가 무너졌다.

가벼워진 《고리니시체》는 그 순간을 놓칠세라 사이즈를 휘둘렀다.

—촤아아앙! 키잉!

《뷔브르》의 장벽을 찢고 옆으로 튕겨 날렸다.

라 클루세는 장갑을 착용한 채로 십여 메르 정도 떨어진 거목에 격돌했다.

"내 사고를 읽은 네가 할법한 행동쯤은 나도 읽을 수 있다고."

기룡사의 상식으로는 하울링 로어와 브레이크 퍼지는 연달아 쓰지 않으며, 쓸 수 없다.

어느 한쪽을 약하게 쓰는 것 자체가 무의미한 짓이니까.

그러므로 상대가 이쪽의 사고를 예상이라도 하지 않는 한 페인트로써도 쓸 수 없다.

"역시…… 한 나라의 대표를 맡을 실력은 되는 것 같네요—."

"아직 칭찬하긴 이르다고—. 넌 이제부터 본격적으로 박살 날 운명이니까."

로자는 《뷔브르》와 거리가 벌어진 틈을 타 기공각검을 높이 들어 올리며 정신을 집중했다.

"《연옥기구》— 합신형태!"
<small>타르타로스 프레임   데빌마키아 모드</small>

무인기 특수 무장 《테일즈 바이스》를 집결해서 《고리니시체》를 한 기의 거대한 장갑기룡으로 변형시킨다.

기룡 십여 기 수준의 어마어마한 출력은 로자의 체력을 크게 소모하지만, 그만큼 압도적인 공격력과 방어력을 발휘할 수 있게 된다.

"먼지로 만들어주마! 저주받은 자동인형!"

그리고 집 한 채 급 질량의 거대한 장갑 주먹을 《뷔브르》를 향해 사정없이 내리꽂았다.

쿠콰쾅……!

"……?!"

하지만 공격한 직후에 로자는 이변을 느꼈다.

주먹을 꽂는 동시에 엄청난 충격이 《고리니시체》의 거대한 장갑 내부에서도 폭발해서 로자는 한순간 눈앞이 아찔해졌다.

"크윽……! 뭐, 뭐야 이게. 대체, 무슨 일이—."

"당신의 생각은 다 꿰뚫어 보고 있는 거예요. 저를 어떻게든 멀리 떼어 놓고 《연옥기구》로 합체하려고 했다는 것도."

"이건…… 데빌마키아 모드 장갑에 보석 같은 것이—."

"《뷔브르》의 특수 무장 《보석안구》예요. 빔을 발사하는 설치형 병기를 당신의 《고리니시체》가 합체변형할 때 몰래 집어넣었죠. 내부에서 당신의 기체를 공격하기 위해서."

"뭐라, 고……!"

합체한 직후에 풀파워로 그것들을 기동하여 내부에서 데빌마키아 모드를 공격했다.

로자가 상대의 허를 찔렀다고 생각한 책략 자체를 꿰뚫어 보고 있던 것이다.

'이젠 어떡하지…… 내 최대의 기술이 실패했어. 이젠, 라클루셰를 이길 방법이, 떠오르지 않아……!'

로자의 몸을 뒤덮은 다중장갑이 뿔뿔이 흩어지는 와중. 라클루셰는 《뷔브르》로 날아오르며 블레이드를 겨냥했다.

'죄송합니다, 룩스 님. 저는…… 당신을, 구하지 못할 것 같아요.'

"그런 거예요."

로자의 마음을 꿰뚫어본 것처럼 라 클루세가 중얼거렸다.

"당신은 그 누구도 구하지 못하는 거예요. 뼈와 살로 된 육신을 가졌으면서도, 의지가 없는 인형에 불과한 당신은……."

"윽……?!"

마음의 상처를 헤집는 말에 로자의 표정이 처참하게 일그러졌다.

그 틈을 놓치지 않고 라 클루세와 《뷔브르》가 매섭게 공격했다.

포격, 참격 그리고 《주얼 비트》의 전방위 빔 공격.

마지막으로 남은 《고리니시체》의 두꺼운 장벽과 장갑마저 부서졌고, 무자비하게 몸을 꿰뚫는 충격에 로자는 고통스러운 표정을 지었다.

'나는 왜 싸우는 거지? 이길 가능성도 없고, 누군가가 부탁한 것도 아닌데.'

싸울 이유.

애초에 어렸을 때 마음이 망가진 로자에게 그런 것은 존재하지 않았다.

누군가에게 칭찬받고, 누군가의 도구로 이용당하는 것이 그녀가 살아가는 목적이었다.

누군가가 만든 역할을 완수하는 것만이 삶의 보람이었다.

'룩스, 님…….'

그러나 로자가 그 소년에게 패배하고 진정한 『악한 왕』 카렌

시아의 주박에서 해방되었을 때, 빛이 그녀를 비춰주었다.

머릿속에서 퍼레이드의 기억이 떠올랐다.

몇 번이나 반복된 퍼레이드— 그중에서 가장 최근에 룩스와 나눈 대화가.

"—룩스 님은 어떻게 그토록 강하신 건가요? 기룡사만이 아니라 환신수를 상대할 때도……아니, 인간으로서도……."

퍼레이드의 밤. 연회장이었던 왕성에서.

룩스가 잠시 바람을 쐬러 테라스로 나갔을 때, 로자는 큰 맘 먹고 그에게 궁금했던 것들을 물어보았다.

헤이부르그 사건 이후로 로자는 한동안 마기알카의 지휘 하에 있었지만, 머지않아 그 기간도 끝나게 된다.

헤이부르그를 어둠 속에 숨어 조종했던 지배자는 사라졌으니, 이제부터 앞으로 나아갈 길은 그녀 스스로 정해야만 한다.

이제껏 누군가의 꼭두각시로 살아온 로자는 그럴 자신이 없었다.

그래서 그와 단둘이 대화할 기회가 찾아온 것은 요행이었다.

가능하다면 룩스에게 안기고 싶다고 생각하면서, 로자는 룩스의 등에 대고 말을 걸었다.

그러자 그는 곤란한 듯 미소를 지었다.

"나는 강하지 않아. 그 학원에서 다른 사람들과 함께 지내는 동안 깨달았어."

"그렇지 않아요. 룩스 님은 어떤 역경에도 굴하지 않고 본인의 신념을 관철하고 계시잖아요."

"그렇다면 참 좋을 텐데 말이야. 지금의 나는 부족한 점이 많으니까."

'아아……'

그리고 뒤돌아선 그의 표정을.

온화함 속에 강한 의지를 숨겨둔 소년의 옆모습을 본 로자의 머릿속이 달콤하게 마비되었다.

로자를 압도한 그 힘.

그리고 로자를 죽일 수 있었음에도 그러지 않고, 그녀의 내면이 악이 아닌 그저 연약한 소녀일 뿐임을 꿰뚫어 보고 구원의 손길을 내밀어주었다.

그렇기에 로자는 이 소년에게 마음을 빼앗긴 것이다.

"그래도 싸움에 임할 때 어떻게 해야 좋을지 하나 조언해주자면— 보는 것을 두려워해서는 안 된다고 생각해."

"보는 걸, 두려워하면 안 된다고요?"

앵무새처럼 반문하는 로자를 보며 룩스는 고개를 끄덕였다.

"정확히 말하자면, 자기 자신과 상대의 진실을 꿰뚫어 보려고 하는 것. 무척 어려운 거지만…… 나도 너와 싸웠을 때, 피이가 아니었다면 깨닫지 못했을 거야."

"……"

피르히가 다쳤다는 사실에 이성을 잃고, 헤이부르그 백성들의 부추김을 받아 로자라는 악을 처단한다는 감정에 사로잡힐뻔했다.

하지만 그것은 룩스가 진정으로 바란 게 아니었다.

"관찰하고, 마주하고, 싸우면서 상대가 어떤 생각을 하는지 이해하는 거지. 정말 어렵고 힘든 일이지만, 만약 실천할 수 있다면—."

그리고 소년은 로자를 보며 미소 지었다.

"승리에 한 발짝 다가갈 수 있을 거야."

그 한마디는 로자의 가슴속에 깊이 새겨졌다.

"죽어. 얼른 죽으라는 거예요. 대체 언제까지 넝마가 된 기룡으로 발악할 생각인가요?"

"……."

불과 몇 초나 지났을까. 주마등처럼 뇌리에 떠올랐던 룩스와의 기억이 사라지고, 눈앞에 펼쳐진 광경이 로자의 시야에 들어왔다.

노도와 같은 공격을 무자비하게 펼치는 라 클루셰와 《뷔브르》.

반면에 로자는 필살의 《연옥기구》·데빌마키아 모드까지 간파당하고 허를 찔려 절체절명의 위기에 몰려 있었다.

《고리니시체》의 장벽과 장갑도 거의 다 파괴됐다.

'—그런데, 왜 나는 아직도 쓰러지지 않은 걸까?'

몸에 밴 본능. 살아남기 위해서 그저 무의식적으로 방어하고 있을 뿐인데.

라 클루셰를 감싼 《뷔브르》의 신장, 《천리안》 같은 기능을 가졌다면 로자도 상대의 마음을 꿰뚫어 볼 수 있었을지도 모르지만—.

 '아니, 그런 게 아냐…… 그건 대상의 겉면만 엿볼 뿐. 자기가 원하는 대답의 옳고 그름만 읽어내는 것에 불과해.'

『그래도 싸움에 임할 때 어떻게 해야 좋을지 하나 조언해주자면— 보는 것을 두려워해서는 안 된다고 생각해.』

『정확히 말하자면, 자기 자신과 상대의 진실을 꿰뚫어 보려고 하는 것.』

 퍼레이드의 연회에서 룩스가 해준 말이 로자의 가슴 속에서 되살아났다.

 라 클루셰는 마음이 무너진 자신을 어째서 쓰러뜨리지 못하는 것인가.

 자신은 어떻게 버티고 있는 것인가.

 지금까지 이 적은 왜 그토록 집요하게 자신의 마음을 헤집은 것인가.

 그리고 자신의 공격을 전부 해석했음에도 불구하고 왜 라 클루셰 쪽이 안간힘을 다해 공격하고 있는 것인가—.

 "알아냈어, 요. 룩스 님."

 —까아앙!

 "앗……?!"

 로자는 원을 그리듯이 사이즈를 휘둘러서 《뷔브르》의 블레이드를 쳐내는 동시에 베었다.

 장벽을 관통한 칼날 끝에 다리를 찔린 라 클루셰는 경악하며 눈을 부릅떴다.

"하! 역시. 그런 거 였나—."

"어떻게 된 건가요? 왜 공격을 읽을 수 없는—."

라 클루세는 당황했지만 로자의 반격은 한 번으로 끝나지 않았다.

그대로 활주하며 육전형 신장기룡의 중량이라는 강점을 살린 몸통 박치기를 시도했다.

라 클루세가 반사적으로 상승해서 공중으로 피하려는 찰나 사이즈의 칼날을 갈고리처럼 걸어서 배면 날개를 뜯어냈다.

"으, 앗……?! 어떻게……?!"

대형 낫 무장인 사이즈는 칼날 부분이 갈고리 형태라서 직선적인 공격을 맞히기는 쉽지 않지만, 달아나려는 상대를 당기거나 등이나 측면을 공격하기에는 적합하다.

로자는 비행능력을 잃고 추락하는 라 클루세의 몸통을 사이즈의 자루 끝부분으로 힘껏 찔렀다.

뒤로 쭉 밀려나간 라 클루세가 거목에 등을 부딪치고 멈추자 로자는 즉시 달려들어 종횡무진으로 난도질했다.

'대체 뭐죠?! 어떻게, 된 건가요?!'

라 클루세는 로자의 맹반격에 당황하며 그렇게 소리치고 싶은 마음을 애써 억눌렀다.

어째서 신장 《천리안》으로 로자의 심층의식에 질문을 던져도 읽을 수 없는 것인가.

그리고 로자는 무슨 수로 라 클루세의 행동을 꿰뚫어본 것처럼 공격하는 것인가.

라 클루셰가 일방적으로 제압당하고 있다. 달리 말하면 로자가 그녀의 행동을 읽고 있다는 뜻이다.

그렇다면 로자는 그만큼 복잡하게 생각하고 있을 것이다.

그런데 그 의지가 읽히지 않았다.

라 클루셰는 이유를 파악할 수가 없는 이 상황에 당황했다.

"읽을 수 없게 됐지? 응? 당연해. 난 지금 아무 생각도 안 하고 있거든!"

로자는 자루 끝으로 라 클루셰를 찍어 거목에 밀어붙인 채 반대편 손으로 기룡식포^{캐논}를 겨눴다.

밀착한 상태에서 영거리 포격.

반사 대미지를 입게 될 터인 그 행동은 확실히 합리적이지 않았다.

'아무것도 생각하지 않고, 마구잡이로 행동해서 마음을 못 읽게 하려는 건가요? 그렇다면—!'

이쪽도 자신의 안전을 생각하지 않고 전력으로 반격해서 상대를 기세를 꺾을 수밖에 없다.

로자는 큰 타격을 입어 궁지에 몰리면 분명 약한 생각을 할 터였다.

……터어엉!

"윽, 아아아앗……! 기룡포효^{하울링 로어}!"

영거리 캐논 포격을 뒤집어쓴 《뷔브르》의 모든 장갑이 비명을 질렀다.

하지만 라 클루셰는 그 상태로 기룡포효^{하울링 로어}를 방출해서 로자를 떼어 내기 위한 승부수를 던졌다.

캐논의 반동으로 서로를 밀어내는 힘이 작용하는 동안 기룡포효(하울링 로어)를 추가로 방출하면 간격을 확실하게 벌릴 수 있다.

그러면 다시 로자의 마음을 읽어서 유리하게 공격할 수 있을 터다.

파카아앙!

"헉……?!"

그렇게 생각한 라 클루셰의 계획은 간단히 어긋났다.

로자가 뒤로 밀려 나갔다고 생각한 찰나, 《뷔브르》의 장갑이 깊이 뜯겨 나갔다.

두 개의 충격을 고스란히 받아낸 로자는 이마와 입에서 피를 흘리면서 오만하게 웃었다.

"알아서 위력을 올려주다니, 고마워서 어쩌나. 애초에 이걸 노리고 밀착 상태에서 캐논을 쏜건데 말이야—."

밀착한 상태에서 캐논 포구를 라 클루셰의 복부에 붙이고, 방아쇠를 당기는 순간 《뷔브르》의 등에 사이즈의 칼날을 걸었다.

그 상태에서 에너지가 폭발하며 척력이 발생하면 걸어 둔 칼날에 걸리는 파워도 그만큼 증가한다.

기룡포효(하울링 로어)에 의한 충격파까지 추가된다면 더더욱—.

로자는 만신창이의 몸으로 사이즈의 칼날 부분에 남은 에너지를 집중해서 힘껏 휘둘렀다.

"—아, 아아아아아악!"

금속이 삐걱대는 소리와 함께 사이즈가 박히며 《뷔브르》의
장갑이 가로로 갈라졌다.

그럼에도 불구하고 라 클루셰는 남은 힘을 모조리 쥐어짜
블레이드를 들고 로자의 몸통을 노려서 혼신을 다해 찔렀다.

슈와악!

그러나 그 공격은 로자에게 닿지 않았다.

사이즈의 칼날에 동체가 양단당한 《뷔브르》의 반격은 그
충격으로 칼끝이 위로 틀어져서 로자의 옆구리를 살짝 스치
는 데 그쳤다.

'어떻게, 이럴 수 있는 건가요. 인간은 고통도 피로도, 우리
자동인형보다 훨씬 심하게 느낄 텐데—.'

로자는 반동으로 인한 격통과 피로를 개의치 않고 사이즈
를 뽑아 회수한 다음 재차 자세를 가다듬었다.

그리고 《고리니시체》를 움직일 에너지가 바닥나기 전에 거
대한 낫을 라 클루셰에게 내리꽂았다.

"커, 헉……"

《뷔브르》의 환창기핵이 완전히 분쇄되고, 자동인형의 동력
부분까지 절단됐다.

그 일격으로 두 사람의 싸움은 결판이 났다.

"하아, 하아…… 하아, 하아……!"

조금씩 눈이 쌓이기 시작한 『고대의 숲』.

로자는 숨을 거칠게 몰아쉬며 하얀 입김을 토해냈다.

"어떻게…… 어떻게, 한 건가요……? 알려주셨으면, 하는 거예요……."

산산이 부서져서 흩어진 라 클루셰의 잔해가 로자에게 말을 건넸다.

"꼴이 그 지경인데, 아직도 주인을 위해…… 나를 조금이라도 여기에 붙들어두려고 말을 거는 거야? 참 대단한 근성이네……."

하지만 자동인형의 집념을 경계한 로자는 다가가지 않았다.

거리를 두고 언제든 반격할 수 있도록 자세를 잡았다.

"어차피, 당신도 당분간 움직일 수 없을 거예요. 지금의 제가 사라지기 전에, 잠시 어울려줘도 괜찮을 거예요."

"……."

정곡이었다.

로자는 더는 《고리니시체》의 소환을 유지하지 못할 정도로 지쳤다.

극도로 피로한 탓에 당분간은 한 발짝도 움직일 수 없다.

그렇다면 질문에 대답해주는 것도 괜찮겠다고 판단했다.

"어떻게, 그 상황에서 역전할 수 있었던 건가요? 왜 당신의 행동을 《천리안》으로 읽을 수 없게 된 건가요?"

"대답하겠다고 하지도 않았는데 멋대로 질문하는 건 뭐야?"

로자는 어이없어 했지만, 입가에는 미소가 걸려 있었다.

"반대로 묻겠는데, 사람의 마음을 망설이게 만드는 거. 그게 《뷔브르》와 《천리안》을 이용한 네 전술이었던 거지?"

"……."

이번에는 땅에 드러누워 있는 라 클루셰가 침묵했다.

"대답은— 예스인 겁니다. 저와 《뷔브르》의 전략은 상대에게 망설임을 안겨주는 것. 전투 중에 망설이는 사람은 약해지고, 나약한 행동을 취하게 돼서 더욱 약해져요. 그 덕에 상대의 전술을 하나하나 파악할 수 있는 거예요. 그런데—."

그건 실제로 효과적이었다.

로자는 모든 선택지의 의표를 찔리고 비장의 수단마저 공략당해서 포기하기 직전까지 몰렸으니까.

"실제로 꽤 초조했는데—. 제 실력조차 못 낼 정도였어. 이판사판의 도박에 뛰어들어서, 그것마저 공략당하면 정말 끝이라고 절망했다니까. 하지만— 알아차렸어. 내 행동을 읽히는 것을, 내가 어떻게 보일지를 두려워하는데 급급해서 너를 보지 않았다는 걸."

"……? 무슨, 의미인가요?"

"말 그대로야. 너에 대해 생각해봤어. 왜 그토록 집요하게 내 마음을 분석하려 드는 걸까. 그건 적이 하지 않았으면 하는 행위를 숨기기 위해서였던 거지…… 눈치 챘을 거라고 생각하지만."

"……."

라 클루셰는 그 누구에게도 얘기한 적이 없지만, 신장 《천리안》의 약점은 『무심』이다.

^{트루 아이즈}

눈앞의 적과 싸울 때 무의식적으로 움직이는 경우에는 머리로 생각하기 전에 몸에 밴 공격 패턴 속에서 자연스럽게 최

선의 선택지를 뽑아 실행한다.

고민하고, 자신감을 잃고, 아무것도 생각할 수 없는 상황과 정반대에 위치한 『무심』.

책략을 꾸미지 않고 정면으로 싸울 때 라 클루셰를 상회하는 실력을 보유한 기룡사야말로 가장 경계해야 하는 상대였다.

"그러니까 너는 공격할 때나 방어할 때나, 이쪽이 어떻게 움직여야 할지 생각할 수 밖에 없게 되는 방식으로 싸웠어. 생각할 시간이 생기면, 말로 자꾸 신경을 건드리면 필연적으로 의식하게 되지. 나도 네 의표를 찌르려고, 그리고 《천리안》을 반대로 이용하려고 계책을 부렸어. 그거야말로 네가 노리는 바라는 것도 모르고 말이야……."

"그런, 거였군요……."

라 클루셰의 《뷔브르》는 비행형 신장기룡 중에서 특별히 기체성능이 뛰어난 편은 아니었다.

왜냐하면 《천리안》이라는 신장을 사용할 때 막대한 에너지를 소모하기 때문이다.

육전형 신장기룡이라 파워와 내구력이 뛰어난《고리니시체》와 로자를 상대로 평범하게 싸우면 불리할 수밖에 없었다.

그래서 약화시키려고 했다.

의심과 두려움에 사로잡혀 제 실력을 발휘하지 못하도록.

"그리고 『한계돌파』라는 걸 쓰지 않은 건, 힘을 최대한 아끼고 싶었기 때문이지? 즉, 소피스와 싸우던 다른 자동인형도 패배했거나, 너희도 궁지에 빠졌다는 걸 깨달은 거야."

"……그게 **저를 보았다**라는 건가요."

현재 상황과 상대, 이를 둘러싼 상황을 합쳐서 라 클루세와 《뷔브르》를 관찰했다.

그리고 그 약점을 찾아내자 자신의 목숨도 도외시한 무심의 공격으로 격파했다.

거짓말을 하고 의표를 찌르는 것이 로자의 전투 스타일이지만, 기룡사로서 순수한 실력 또한 나라를 대표하는 레벨이니까.

"그럼, 마지막으로 하나만 더…… 당신은 어째서 강한 건가요? 그토록 마음을 유린당했는데 어떻게 맞설 수 있었던 건가요? 그 열세를 무슨 수로 만회한 건가요?"

"……"

"어떻게…… 그런 강한 마음을 갖게 된 건가요? 천 년도 더 전에…… 그때 인간이 마스터를 배신하지 않았다면, 분명…… 세상은 평화롭게……."

『대성역』과 연결되어 기억이 흘러들어온 라 클루세는 자신을 창조한 아샤리아에게 일어난 비극을 회상하고 비통한 목소리로 말했다.

『구세의 여신』이라 칭송받던 아샤리아가 구해준 자들.

『배신자 일족』이 반기를 들어 그녀를 살해하고, 세상을 구제하기 위한 『성식』이라는 시스템의 일부를 그들 멋대로 수정한 일을 떠올렸다.

"인간은, 약한 생물이에요. 자신의 이익을 지키기 위해서, 편하게 살기 위해서, 태연하게 타인을 배신하죠. 겁 많고 비열한, 그런 존재가, 어떻게—."

"……."

산산이 부서진 자동인형의 잔해가 내뱉는 간절한 외침.

그것을 듣는 로자는 비록 과거의 사정은 몰랐으나—.

"네 말이 맞아. 인간은 약하고, 겁이 많은, 그런 생물이지."

거칠게 숨을 쉬며 라 클루셰의 말을 긍정했다.

헤이부르그의 어둠의 지배자—『악한 왕』의 대역으로 활동했던 로자는, 민중의 원한을 한 몸에 받아본 로자는, 그 누구보다도 사람의 마음의 약하다는 사실을 잘 알았다.

"룩스 님과 그 주변에 있는 사람들은 분명 흔치 않은 사람들일 거야. 아니, 그들 역시 약한 마음을 갖고 있어. 하지만 싸우고 있다고. 그런 약한 자기 자신과, 지금도."

"……."

"그렇게 싸울 기개를 갖지 못한 자, 잃어버린 자는 태연하게 다른 이를 괴롭게 되지—. 내가 변했다면, 그 이유는 딱 하나야."

자신의 약한 면과 마주하고, 저항하고, 싸우는 그 고결한 모습을 동경하게 되었으니까.

헤이부르그 공화국에서 로자가 패배했던 그 날.

룩스는 자신의 마음의 약함에서 도망치지 않고, 괴로움과 증오를 이겨내고 로자를 구해줬다.

"강한 마음을 가진 사람에게, 구원받았으니까……."

"그게, 그 룩스 아카디아라는 건가요? 그 사람이야말로 영웅이라고—."

로자는 고개를 끄덕여 대답을 대신했다.

"……그런가요. 그렇다면 답이 나올지도 모르겠네요. 그『검은 영웅』과 아샤리아 님이 믿은 영웅. 어느 쪽이 진짜인지— 끝까지 지켜봐 주길 바라는 거예요. 당신, 이……."

라 클루셰는 그 말을 마지막으로 마침내 기능을 정지했다.

그 모습을 지켜본 로자는 천천히 일어나며 희미하게 웃었다.

"말 안 해도 그럴 거야—. 내가 믿는, 사랑하는, 룩스 님을 지키기 위해서."

왜소한 자신을 뒤덮는 그림자였던『악한 왕』대신에 자신의 마음을 밝혀준 소년을 위해서, 로자는 다시금 기공각검을 쥐었다.

"하아, 하아…… 회복되려면 시간이 더 필요할 것 같네……. 최소한 소피스나 룩스 님의 동생과 합류해야 하는데—."

극한의 피로 때문에 불안정한 발걸음으로.

그럼에도 앞을 향해 걸어 나가는 로자의 귀에 굉음이 들렸다.

"으—?! 저건!"

흠칫 놀라며 눈이 내리는 하늘을 올려다본 순간, 어떤 광경이 눈에 비쳤다.

거기에서는 칠흑의 기룡과 치열하게 무기를 맞부딪치는 붉은 신장기룡이 춤추고 있었다.

Episode 2 　　　　　운명의, 재대결

『고대의 숲』 북동부.

지하에 존재하는 『대성역』의 정보관리시설 『아카이브』— 그 지상에서.

신장기룡 《바하무트》를 두른 룩스와 《티아마트》를 두른 리샤가 잿빛 하늘을 배경으로 대치하고 있었다.

—아니야.

그럴 리가 없다—.

리샤의 이성이 그렇게 말했다.

룩스가 신왕국을 배신할 리 없다.

자신과 라피 여왕에게 검을 겨눌 리가 없다.

『창궁사단』과 아르마에게 지시하던 건 무언가 잘못 본 게 분명하다.

아니면, 이 남자는 가짜일 것이다.

그렇게 생각하지 않으면 리샤는 움직일 수 없었다.

하지만 지금의 자신은 신왕국의 왕녀.

그러니 상대가 누구든지 간에 쓰러뜨려야만 한다.

이 나라를 지키기 위해 목숨을 걸어온 양어머니 라피를 지키기 위해서.

'……이건 예정에 없던 일인데…….'

그녀와 대치한 소년— 룩스도 당황한 건 마찬가지였다.

계획에서 포로가 된 리샤와는 끝까지 싸울 일이 없었다.

《우로보로스》의 세계 개변으로 리샤는 라피를 적으로 인식할 수 없다.

국민들이 최종적으로 진실을 깨달을 수 있을 것인지도 불확실했다.

그렇다면 아무도 알아채지 못할 형태로.

리샤, 그리고 신왕국의 모두에게 알리지 않고, 혼란을 유발하지 않고, 몰래 『성식』의 위협을 해결하려고 했다.

그러나 룩스의 소망은 허무하게 무너졌고, 결국 리샤와 대치하게 되었다.

"그럴 리가 없어! 너는 가짜다! 대답해라! 룩스!"

《티아마트》로 체공 중인 리샤가 기공각검을 뽑고, 정신조작으로 열두 기의 투척 병기— 특수 무장 《공정요새》^{레기온}를 사출했다.

먼저 그 중 두 기가 매섭게 대기를 찢으며 룩스에게 날아왔다.

"큭……?!"

룩스는 《바하무트》의 대검으로 《레기온》의 첫 공격을 튕겨냈다.

하지만 그 그늘에 숨어 있던 은폐저격^{하이드 샷}이 후속타로 날아왔다.

'두 기로 위장했지만 세 기야! 게다가 첫 번째와 두 번째 사이에 끼워 넣었어!'

당연하지만 상대의 시점에서는 보이지 않게끔 투척 병기를 사출하려면 수준 높은 기술이 필요하다.

궤도를 정밀하게 제어해야 함은 물론이거니와, 상대의 시야까지 정확하게 예측해야 성공할 수 있는 신기에 다다른 기술이라고 할 수 있다.

첫 번째 공격을 튕겨내느라 휘두른 검을 미처 되돌리기 전에 두 번째 《레기온》이 《바하무트》의 장갑에 명중했다.

"큭!"

장갑 너머로 그 위력을 느낀 룩스는 고통스러운 표정을 지었다.

그래도 가까스로 자세를 유지했다.

세 번째를 쳐내는 동시에 그것을 정확하게 리샤 쪽으로 돌려보냈다.

"아니……?!"

일반적으로 뾰족한 형상의 무기를 쳐내서 상대에게 정확하게 돌려보내기란 지극히 어렵다.

하지만 《바하무트》에 내장된 특수 무장 《공명파동》^{링커 펄스}의 역장으로 살짝 궤도를 수정해서 반격을 가능케 했다.

"쳇!"

리샤의 《티아마트》는 원거리 공격 분야에서 다채롭고 압도적인 능력을 자랑한다.

그러므로 다소 위험을 무릅쓰더라도 리샤의 공격을 저지하는 게 중요하다.

하지만 리샤는 멈추지 않고 주위에 배치해둔 《레기온》 한 기를 날려 룩스가 반사한 투척 병기 하나를 쳐내서 방어했다.

그 직후, 어느새 조준을 마친 《티아마트》의 캐논 포격이 룩스에게 쏟아졌다.

"―큭!"

막을 것인가, 피할 것인가.

직전에 《레기온》의 일격을 동체에 맞은 룩스는 즉시 회피를 선택했다.

그러나 옆으로 피하려는 찰나, 반대쪽에서 세 기의 《레기온》이 호를 그리는 궤도로 날아와 옆구리를 노렸다.

"이건― 그 때의?!"

포격하는 동시에 《레기온》을 날려서 상대의 퇴로를 차단한다. 룩스와 리샤가 처음으로 모의전을 치렀을때 사용한 전술이다.

"―《공명파동》!"

룩스는 포격을 옆으로 피하면서 특수 무장으로 역장을 형성하여 《레기온》 세 기의 궤도를 가까스로 비틀었다.

하지만 완벽하게 피하지는 못했다.

장갑을 깎아내고 표면을 살짝 스치면서 기체 밸런스를 무너뜨렸다.

"그 정도냐, **가짜** 녀석."

리샤는 재차 기공각검을 휘둘러서 거포― 《일곱 개의 용머리》를 소환했다.

일곱 개의 포구에 빛의 입자가 모이고, 폭발하는 것처럼 방출됐다.

'……에너지 충전이 빨라! 대처하기엔 늦었어!'

무장, 특수 무장의 연속 공격에 이어 추가로 쏟아지는 주포의 일격.

방어해도 직격당하면 끝날 위력이다.

퍼퍼엉―!

"―으, 아아아악!"

아예 피해를 입지 않을 수는 없음을 알아차린 룩스는 장갑을 강화해서 대비하는 한편 《폭식》을 기동했다.

《세븐스 헤즈》의 막강한 파괴 에너지의 여파를 버티며 신속하게 태세를 재정비했다.

다른 관점으로 보면, 리샤가 최대의 공격을 퍼부은 직후에는 강력한 후속타를 받게 될 걱정은 없다.

그렇다면 공격에 맞고 거리가 벌어진 순간에 《폭식》을 발동, 5초 후에 몇 배로 가속한 상태에서 반격할 생각이었으나―.

"역시, 아니군. 너는 룩스가 아니다. 룩스일 리가 없어……. 너는 약하다."

"……?!"

룩스가 《폭식》을 기동하는 걸 보자마자 리샤는 후퇴해서 거리를 벌렸다.

그리고 숲으로 내려가 모습을 숨겼다.

룩스의 속내를 완벽하게 내다보고 있었다.

그래도 룩스는 이 기회를 놓칠 수 없었다.

장갑과 체력이 크게 소모된 이상 단기전으로 결판내지 않으면 갈수록 불리해지기 때문이다.

'강해…… 알고 있던 사실이지만, 리샤 님은 분명 강해지셨어.'

처음으로 왕립 사관 학원에 와서 싸웠던 그날 이래로 리샤와 여러 차례 모의전을 치렀다.

그래서 룩스는 그녀가 가진 패를 아는 만큼 유리하다고 할 수 있었으나, 지금의 리샤는 누구보다도 만만치 않은 상대로 느껴졌다.

세리스, 피르히와 연전을 치르면서 룩스에게 피로가 누적된 영향이 있기는 했다.

하지만 그 이상으로 지금의 그녀에게서는 확고한 의지의 힘이 느껴졌다.

양어머니인 라피 여왕을 지키기 위해서.

신왕국을 지키기 위해서 각오를 다지고 적을 쓰러뜨리려 하고 있었다.

'단숨에 끝낼 수밖에 없어……! 내 몸에 깃든 『세례』의 힘으로—.'

에이릴과 요루카 그리고 『기사단』의 주요 멤버들처럼, 룩스도 『관』이라는 장치에서 능력을 습득했다.

그 힘을 발동하기 위해서 호흡을 고르고 정신을 집중했다.

'뭐지? 몸속에서 열이 안 생겨. 『세례』의 힘이, 응답하지 않아.'

그런데, 무슨 영문인지 그 힘을 쓸 수 없었다.

힘이 샘솟지 않았다.

'생각할 시간이 없어. 《폭식》을 이용한 시간의 압축강화—남은 5초 동안 초가속으로 승부를 결정지을 수밖에 없어!'

룩스는 마음을 가다듬고 각오를 다졌다.

시간 가속을 통해 몇 배로 빨라진 룩스는 리샤가 사라진 숲속으로 돌진했다.

이동, 접근까지 걸린 시간은 고작 1초.

나뭇잎에 가려진 리샤의 모습을 발견했다.

그러나 발견한 《티아마트》의 모습은 조금 전과 크게 달랐다.

"······?!"

"기다렸다. 네가 접근전을 시도하기만을!"

『초월장갑』.
오버 유닛

기룡 위에 다른 기룡을 강화 파츠로 결합하는 전투형식.

추가 드릴 암과 두 개의 손톱이 달린 장갑팔을 장착하는 《와이엄 클로》는 접근전에서 막강한 성능을 발휘한다.

'숲에 숨은 건 방어와 공격을 동시에 할 수 있는 형태로 변하기 위해서. 그리고 내가 그 노림수를 깨닫지 못하게끔 하기 위해서였나!'

리샤는 언뜻 보기에는 본능적으로 행동하는 것 같지만, 전술만이 아니라 전략도 갖춘 뛰어난 인재이다.

그 점을 증명하려는 것처럼 룩스의 의표를 찌르고 반격 태세를 갖추었다.

"그래도 질 수는 없어!"

《바하무트》의 속도가 몇 배로 가속된 지금이 최대의 승기라는 건 분명했다.

따라서 룩스는 닥쳐오는 손톱과 드릴 암을 피하고 《티아마트》의 환창기핵을 노리려고 했다.

하지만 그 직후에 불가능하다는 걸 바로 깨닫고 이를 갈았다.

"환창기핵을 최우선으로 노릴 생각이냐?"

룩스는 리샤의 눈빛이 그렇게 말하는 듯한 착각을 받았다.

숨겨져 있었다.

《티아마트》의 환창기핵이 내장된 어깨 장갑 위에 『초월장갑』으로 《와이엄 클로》를 장착한 탓에 직접 타격할 수 없었다.

'《와이엄 클로》부터 파괴할 수밖에 없는 건가?!'

먼저 《와이엄 클로》에 동력을 전달하는 환창기핵을 부수고, 『초월장갑』이 해제된 직후에 본체인 《티아마트》의 환창기핵을 노린다.

순식간에 판단했지만, 룩스는 그것 역시 어려운 일임을 깨달았다.

그 이유는 리샤가 범용기룡을 개조해서 만든 이 강화장갑은 일반적인 기룡과 구조가 다르기 때문이다.

따라서 내장된 파츠와 프레임이 정확히 어떤 구조인지 파악할 수 없었다.

'그런 걸 이제 와서 깨닫게 되다니.'

리샤가 꾸준히 갈고 닦은 기룡개발의 재능.

그것이 적으로 돌아서면 얼마나 골치 아픈지 거듭 깨달았다.

아마도 세계 개변의 영향을 받고 있을 리샤는 눈앞의 룩스를 가짜로만 인식할 수 있는 것이리라.

'그렇다면 강압적으로라도 전투 불능으로 만들어서 다시 포로로 삼을 수밖에. 리샤 님께 라피 폐하를 쓰러뜨리게 하는 괴로움과 죄를 짊어지우지 않고 이 싸움을 끝내 보이겠어!'

환창기핵을 노릴 수 없다면 직접 《티아마트》의 장갑을 파괴한다.

목표를 변경하고 대검으로 연속해서 공격했지만, 적은 너무나도 단단했다.

'《낙인검》^{카오스 브랜드}의 날이 통하지 않아! 《와이엄 클로》가 생성한 장벽 탓인가!'

《티아마트》의 장벽과 그 위에 장착한 《와이엄 클로》가 생성하는 이중 장벽.

접근전에 특화된 장벽에 막혀 대미지를 입히지 못했다.

그래도 몇 배로 가속한 몇 초를 최대한 활용하기 위해서 전력으로 검을 휘둘렀다.

—그러나 추가 장갑팔 하나를 파괴한 시점에서 시간 가속이 끝나고 말았다.

"이거나 먹어라!"

《와이엄 클로》의 나머지 장갑 팔 하나.

그 끝에 장착된 드릴형 희소 무장이 고속으로 회전하며 육박했다.

재빨리 몸을 비틀어서 회피한 룩스는 대검으로 『초월장갑』을 강타했다.

"크……아!"

《와이엄 클로》의 장벽이 뚫린 충격의 여파로 리샤는 작게 신음을 토하며 기공각검을 뽑아 쥐었다.

룩스가 그 모습을 보고 경계하기도 전에 리샤의 공격이 이어졌다.

"─기룡해방!"

"헛……!"

『초월장갑』《와이엄 클로》의 장갑을 산탄처럼 해방해서 룩스와 《바하무트》의 후속 공격을 저지했다.

그 기세와 충격에 밀린 룩스가 멈춰 선 틈을 놓치지 않고 리샤와 《티아마트》는 후방으로 도약하며 거리를 벌렸다.

'위험해…… 이건─.'

리샤는 나머지 두 개의 『초월장갑』으로 전환하려는 속셈인 것 같았다.

배면 날개를 강화하여 뛰어난 기동력을 발휘하는 《와이번 윙》과 은폐와 재밍, 탐지 및 기습 성능을 향상시키는 《드레이크 혼》.

이 두 가지도 상당히 골치 아픈 형태였다.

그래서 룩스는 장갑 산탄을 《공명파동》로 피하고 다소 무리한 방법으로 거리를 벌린 리샤를 추격했다.

새 『초월장갑』을 소환해서 장착하기 전에 결판을 내겠다.

룩스가 그런 각오로 돌진한 찰나, 이동 경로가 엉뚱한 방향으로 틀어지더니— 공중으로 떠올랐다.

"—?!"

"《천성》. 네가 받는 중력을 제로로 만들었다."
(스프레서)

《티아마트》가 보유한 중력조작 신장.

가장 경계해야 하는 강력한 능력이기에 늘 룩스의 머리 한 구석에 각인되어 있었다.

중력이 제로가 되면서 가벼워질 뿐 대미지를 입는 건 아니지만, 행동을 방해한다는 점에서 상당히 성가신 능력이다.

제아무리 《바하무트》 같은 비행형 신장기룡이라 해도 중량이 살짝 가벼워지면 그것만으로도 기동 성능이 대폭 바뀐다.

즉, 원하는 대로 움직이는 게 이상할 정도로 어려워지는 것이다.

룩스가 아무리 장갑기룡 조작에 통달했다고 해도 경험이 없으면 대응할 수 없는 상황이었다.

콰앙!

"크앗……!"

후퇴한 리샤를 쫓아 비행하던 궤도가 틀어진 탓에 그대로 거목에 충돌하고 말았다.

룩스는 즉각 무중력에 대응한 방향 전환을 시도했지만, 리샤는 이미 다른 『초월장갑』으로 전환을 마친 뒤였다.

"《드레이크 혼》! 한 번 더 먹여주마! —《천성》!"
(스프레서)

쿠쿵—!

《바하무트》의 고도가 급격히 떨어지다가 그대로 지면에 박혔다.

이번에는 고중력으로 짓눌러서 움직임을 완전히 봉쇄했다.

"큭……! 으아아악……!"

《드레이크 혼》의 기능으로 강화된 신장은 전례 없는 중력 부하로 룩스와 《바하무트》를 짓눌렀다.

처음으로 리샤와 싸웠을 때 겪은 것과는 비교도 되지 않는 그 위력은 견디는 걸 용납하지 않았다.

《바하무트》의 장갑만이 아니라 룩스의 몸 자체가 비명을 질러댔다.

'어떻게 한 거지? 《천성》을 쓰면서…… 신장을 사용하면서 『초월장갑』을 전환하다니? 대체 무슨 수로—'

사용자에게 막대한 부담을 가하는 특수 무장, 혹은 신장을 동시에 사용하려면 어마어마한 체력과 정신력이 필요하다.

특히 체력이 약한 편인데도 고출력능력, 무장을 즐겨 사용하는 경향이 있는 리샤는 그 부분이 명확한 약점이었다.

그런데 지금 이 힘은 요루카나 세리스, 혹은 환신수의 힘을 해방한 피르히 수준— 아니, 그 이상이었다.

유심히 살펴보니 리샤의 몸에서 증기 같은 것이 희미하게 피어오르고 있었다.

사정을 모르는 룩스는 알 길이 없었지만, 리샤의 몸에 깃든 『세례』의 힘은 에너지의 축적과 연소다.

미리 『축적』— 즉 풀파워를 내기 위해서 평소부터 에너지를 조금씩 충전해두고, 여차할 때 심리적인 스위치를 누르면『연소』해서 이를 한꺼번에 해방할 수 있다.

즉 지금까지 리샤가 안고 있던 약점을 보완하는, 신장 및 특수 무장,『초월장갑』 등을 마음껏 사용하게 해주는『세례』다.

원래 없던 힘을 신체 조작을 통해 추가한 것인 만큼 제대로 활용할 수 있게 될 때까지 시간이 걸렸지만, 그 위력은 실로 막강했다.

'안돼…… 못 버텨……! 죽을, 거야……!'

호소하는 시선으로 리샤를 보았지만 그녀는 조금도 흔들리는 모습을 보이지 않았다.

자신이 룩스라는 사실을 깨닫도록, 세계 개변의 주박을 해제하기 위해서 리샤에게 말을 해야 할지 망설였다.

하지만—.

'아니, 그럴 수는 없어. 내가 하려는 짓을 알게되면 리샤 님은 상처받고, 슬퍼하실 거야. 지금 나는, 어디까지나 신왕국을 무너뜨리려고 하는『창궁사단』의—.'

룩스는 다시금 결의를 다지며 최후의 힘을 쥐어짰다.

그리고 자신의 몸에 깃든『세례』의 힘을 해방하려고 했지만—.

"크윽, 아……!"

발동하기 전에 집중력에 노이즈가 끼며 흩어졌다.

'왜 이러지? 지친 탓인가? 그게 아니면—.'

《천성》의 고중력에 대미지를 입은 탓일까.

룩스는 원인을 알 수 없는 컨디션·난조로 고전하면서도 최대한 저항했다.

기룡의 에너지를 어렵사리 그러모아 프레임이 완전히 망가지기 전에 《바하무트》의 신장을 발동했다.

"─《폭식》!"
리로드 온 파이어

압축강화의 첫 5초.

룩스는 자신에게 걸린 중력 부하를 격감하는 대상으로 지정했다.

《천성》의 힘으로 자신을 짓누르는 중력을 격감시키고, 그 틈에 리샤에게 돌진했다.

"─기룡포효!"
하울링 로어

리샤는 그것마저 예상했는지 《드레이크 혼》으로 몇 배나 강화된 하울링 로어를 방출했다.

하지만 그건 룩스도 마찬가지였다.

모든 특수 무장과 신장을 최대한으로 쓸 수 있는 풀파워 상태의 리샤라면 그 정도 대책은 당연히 세워 놨을 터─.

"─하아아앗!"

소용돌이치는 충격파가 룩스를 날려버리는 것보다 빠르게 《카오스 브랜드》를 《드레이크 혼》에 박아 넣었다.

가까스로 중파시키긴 했지만, 그 대가로 룩스는 아래쪽에서 방출된 무지막지한 하울링 로어를 고스란히 뒤집어쓰고 공중으로 날아가 버렸다.

"큭…… 아악……!"

《바하무트》의 내구 한계를 넘어선 타격에 장갑이 힘없이 떨어져 나갔다.

체력이 완전히 바닥나기 전에 결판내기 위해서 전력을 다했을 텐데, 왜 이렇게까지 처참하게 당한 것인지 이해할 수 없었다.

물론 지금까지 다른 강적과 싸울 때도 계속 무모한 짓을 했다는 자각이 있긴 했지만—.

'내가, 이런 방식으로 싸웠던가? 뭔가, 이상해…….'

최선을 다했다고 생각했는데, 헛도는 것만 같은.

룩스는 그런 기묘한 감각에 사로잡혔다.

허공에 내던져진 룩스의 눈동자에 눈이 흩날리는 잿빛 하늘이 비쳤다.

이제 힘은 거의 남아 있지 않았다.

《우로보로스》에 의해 개변된 세계.

반복되던 퍼레이드의 이변을 알아차린 뒤로 지금까지 팽팽하게 긴장되어 있던 의식이 끊어질 것 같았다.

'아직, 안 돼……. 나는—.'

신왕국을, 이 나라를, 구해야만 한다.

학원 사람들의 얼굴. 『기사단』 멤버들의 얼굴.

크루루시퍼, 피르히, 세리스, 요루카, 아이리, 트라이어드.

마지막으로 리샤의 얼굴이, 룩스의 뇌리에 떠올랐다.

"리샤, 님……. 저는—."

공허하게 중얼거리며 본능적으로 《바하무트》의 자세를 바로잡으려는 찰나에.

—파카앙!

전신을 헤집는 매서운 충격에 룩스는 피를 토했다.

"커헉—!"

저 멀리 아래로 보이는 숲에서 날아오른 그림자— 리샤의 《티아마트》가 블레이드를 휘두른 자세로 공중에 떠 있었다.

기동력 강화형 『초월장갑』《와이번 윙》.

그 무시무시한 가속력으로 원거리에서 단숨에 접근하여 룩스가 미처 반응하기도 전에 직격타를 꽂아 넣었다.

'아아—. 이젠…… 무리야…….'

온몸에서 힘이 빠지고 의식이 멀어진다.

《바하무트》의 장갑이 해제되어 룩스는 장의만 걸친 맨몸으로 상공에서 자유 낙하하기 시작했다.

'결국, 내 힘으로는 불가능했던 건가.'

후길이 한 말처럼 왕의 그릇 따위가 아니었다.

자신의 이상을 추구한 끝에, 결국 그 누구도 구하지 못했다. 그저 그런 얘기일 뿐이다.

'하지만— 리샤 님.'

곁에서 자취를 감춰서 미안하다고 생각하는 동시에, 그녀라면 신왕국을 맡길 수 있다고 생각했다.

이대로 라피 여왕이 다시 세계를 개변한다고 해도, 리샤는 여왕의 총애를 받으며 어떤 진실도 깨닫지 못한 채 살아갈지도 모른다.

룩스가 소망했던 왕의 길을 걸어 나갈지도 모른다.

'그렇다면, 괜찮겠지…… 부디 무사하세요, 리샤 님.'

그렇게 모든 것을 포기하고 의식을 놓으려는 순간.

"……."

"진짜 너는 어디에 있느냐? 대체 어디로 사라졌느냔 말이다, 룩스—."

추락하는 자신을 내려다보는 공주의 얼굴은 무척이나 슬퍼 보였다.

"—."

그 직후, 룩스의 의식이 끊겼다.

『고대의 숲』 일부에서 고개를 들기 시작한 무시무시한 흉조의 검은 그림자를 깨닫지 못한 채.

—그리고.

"룩스 군!"

자신이 지면에 충돌하기 직전에 구해준 푸른 머리 소녀의 목소리도 깨닫지 못한 채로.

†

"후길…… 라피 아티스마타가 변모하기 시작한 모양이에요. 역시 인간의 몸으로 『성식』과 융합한 상태에서는 의식을 유지할 수 없군요."

『고대의 숲』, 중앙 부근.

최초로 『창궁사단』과 대면한 경계선인 호수 부근에서 후길, 그리고 『대성역』을 관리하는 자동인형 아샤리아는 눈발이 흩

날리는 하늘을 올려다보고 있었다.

라피의 변모.

『성식』과 융합하고 나서도 라피는 비교적 인간의 사고를 잘 유지해왔지만, 그 정신은 서서히 변질되고 있었다.

"저 단계까지 진행됐다면 곧 움직이겠군. 수백 년 전, 이『고대의 숲』에서 일어났던 현상을 그대로 재현하게 되겠지."

『성식』은 인간의 의지를 투영하여 엘릭시르로 구제하는 장치.

그리고 인간의 욕망, 증오 및 적의에 반응해서 살육을 벌이고, 에너지를 흡수하는 숙정 장치.

두 번째 기능은 세계의 구제를 바랐던 아샤리아가 만든 것이 아니라, 당시의 반역자가 아샤리아를 죽이고 멋대로 추가한 것이다.

정황상 그렇게 추측하고 있다.

라피는 자신의 충동을 제어하지 못하고 적대하는 인간을 잡아먹는다. 그리고 공포와 증오, 슬픔과 분노를 흡수한다.

"그억! 아우어……! 우워어어어, 걱!"

철퍽철퍽. 빠그작빠그작.

인간이 내는 소리라고 생각할 수 없는. 아니, 환신수조차 내지 않을 기괴한 소음이 지척의 나무그늘에서 울리고 있었다.

라피는 자신을 따르는 리샤를 사랑했고, 마음의 안식처로 여겨왔다.

하지만 그 기억도 이제 곧 사라지게 된다.

적대하는 존재의 무수한 사념을 집어삼킨 최대최강의 인간형 종언신수는, 세계를 붕괴로 인도하는 마물로 거듭나게 된다.

바라는 것은 무자비한 파괴와 살육.

사람들의 사념을 통합함에 따라 구제 의지는 서서히 덧칠되어가고, 그것이 종점에 이르렀을 때 『성식』은 세계에 종언을 고한다.

일대를 모조리 말소하여 흔적조차 남기지 않는다.

이 『고대의 숲』에 모인 모든 생물을 무로 되돌리고, 세계를 처음부터 다시 시작한다.

그리고 후길은 《우로보로스》의 세계 개변으로 사람들의 기억에서 유적에 관련된 기억을 지운다.

뛰어난 기룡사들은 전멸하고, 전력을 잃은 세계는 다시 균형을 찾게 되리라.

후길의 사명이란, 궁극적으로 파괴와 재생의 반복에 지나지 않는다.

아샤리아가 세계를 구제하기 위해 창조한 『성식』이라는 시스템을 지켜본다.

그저 그것만을 위해 존재한다.

"또다시, 실패한 건가. 아니— 아니지. 아샤리아. 아직은 모를 일이야. 네 꿈이 살아있는 한은—."

누군가가 파괴하고, 빼앗아간 평화라는 꿈.

그러나 악의 또한 인간의 의지라면, 그것을 지켜보겠노라고 후길은 결심했다.

포기하지 않고, 사람들이 올바른 길을 선택하여 『성식』이 원래 목적대로 기능할 가능성을 좇았다.

후길은 자신은 끝내 되지 못한 『영웅』이 세상에 나타나기를 기다리고 있었다.

"포기하면, 거기서 모든 게 끝나는 거였지. 그렇다면 다시 한번 되풀이하자. 모든 것을 잊게하고, 영겁으로."

"……."

"그어어! 우거억……! 우워어어억, 그억!"

정체를 알 수 없는 무언가로 변해가는 라피와 『성식』 쪽에는 눈길도 주지 않은 채, 후길은 하늘을 올려다보며 독백했다.

그가 사랑하는 소녀의 모습을 본뜬 자동인형은, 아무 말 없이 곁에 서 있었다.

Episode 3　몽상의 세계

―춥다.

칠흑의 어둠에 뒤덮인 의식 속에서.

룩스는 온몸을 휘감는 그 감각만을 느꼈다.

지금까지 살아온 인생 속에서 가장 추웠던 때는 언제였던가?

그것은 마차 추락 사고로 중상을 입고 도움을 요청했지만―
구제국의 폭정에 원한을 품은 백성들에게 버림받고 어머니를
잃었을 때다.

차가운 빗속에서 식어가는 몸.

어머니가 다시는 자신과 동생을 안아주지 못하게 되리라는
것을, 룩스는 절망과 함께 깨달았다.

비록 혁명이라는 대의를 위해서였다지만, 아버지에게 버림
받은 리샤도 같은 감정을 느꼈을 것이다.

'……하지만 죽을 때는 다들 혼자야. 나도 똑같아.'

아티스마타 백작이 그랬듯이― 많은 사람들이 꿈을 꾸고
대의를 품지만, 도중에 패배하고 최후를 맞이하는 이들도 그
만큼 많다.

'미안해. 아르마, 에이릴……. 죄송합니다, 마기알카 대장. 저는— 여러분의 기대와 협력에, 부응하지 못했어요.'

라피 여왕의 계책에 빠졌고, 리샤를 넘어서지도 못했다.

『세례』를 받아 획득한 비장의 수단조차 쓰지 못했다.

"결국 그게 네놈의 한계인가. 내 부하로 삼으려고 했었는데 판단을 잘못했군. 실망스러워."

짙푸른 후드 코트를 걸친 작은 체구의 사내.

하지만 그 얼굴에 들러붙은 오만불손한 미소와 살벌한 기척은 익숙했다.

『칠용기성』 부대장, 싱글렌 쉘블릿.

압도적인 재능과 실력을 지녔으며, 자신이 믿는 강자들이 통치하는 세상을 원했던 자.

재능이 없는 대중과 타락한 귀족을 전부 악으로 단정했고, 그런 악이 없는 국가를 바랐다.

룩스와 정면으로 대치되는 사상이었지만, 그에게 받은 영향은 이루 말할 수 없었다.

그런 그의 환영이 날린 비아냥에 룩스는 아무 대꾸도 하지 않았다.

'나 참, 고집이 센 것도 정도가 있지.'

룩스는 꿈속에서 쓴웃음을 짓고 말았다.

목숨이 끊어질 때까지 싸웠으면서, 대체 내 앞에 몇 번이나 더 나타나야 직성이 풀릴까?

하지만 룩스의 의식이 그를 빚어냈다 함은, 달리 말하자면 어디선가 그를 인정했다는 뜻이다.

"자기가 약했기 때문이라고? 같잖은 변명은 집어치우시지."

싱글렌의 환영은 조롱하는 듯한 사악한 미소를 지으며 눈을 감은 룩스에게 말했다.

"너는 자신의 약함조차 자각하지 못했다. 네가 걸어야 할 왕의 길에서 눈을 돌렸을 뿐이란 말이다. 싸워보지도 않은 주제에 패배했다고 한탄하다니─너는 『무패의 최약』이잖나."

그렇지─ 않아.

나는 내 목표를 이루기 위해서, 전력을 다하려고 했어.

아니…….

더욱 깊이 가라앉는 의식.

하지만 묘하게 몸이 따듯했다.

죽을 때가 가까워진 걸까? 아니면, 몸이 극도로 차가워지면 오히려 더위를 느낀다는 이야기를 날품팔이 시절에 설국에서 온 사람에게서 들은 적이 있는데, 혹시 그런 걸까?

─아니. 따듯할 뿐만 아니라, 부드러웠다.

편안했다.

다시는 열리지 않으리라 생각했던 눈꺼풀이 살짝 올라가고, 어둠에 갇혀 있던 룩스의 세계가 다시 밝아졌다.

'……어라?'

눈앞이 하얗다.

아니, 살색이다.

동시에 코를 간질이는 부드럽고 달콤한 향기에 머릿속이 멍했다.

무의식적으로 손을 뻗었더니 매끄러운 살의 촉감이 느껴졌다.

"역시, 이것도 꿈인가……?"

룩스는 정신을 차린 직후, 자신이 얼굴을 묻고 있던 것의 정체를 알아차렸다.

"아아…… 룩스 님의 숨결이…… 부디 원하시는 대로 다뤄주세요. 아프게 하셔도, 괜찮으니까요. 아니, 오히려 조금 아픈 편이—."

"—잠깐, 로자?!"

녹아내리는 듯이 달콤한 소녀의 목소리가 귓불을 간질이자 그제야 자기가 지금 어떤 상황인지 깨달았다.

기묘한 기계 오브제가 쭉 늘어선 무기질적인 방. 룩스는 침대 위에서 소녀의 가슴에 얼굴을 파묻고 있었다.

아니, 껴안고 있는 것에 가까웠다.

심지어 실오라기 하나 걸치지 않은 알몸으로—.

"……."

조금 전까지 사투를 벌이고 있었건만, 갑자기 확 뒤바뀐 이 수수께끼의 상황에 룩스의 사고가 정지했다.

"아아, 룩스 님! 정신이 드시나요? 다행이에요!"

룩스의 얼굴을 확인한 로자는 뺨을 발갛게 물들이며 환희의 표정을 지었다.

그리고 다시 팔에 힘을 담아 힘껏 껴안았다.

로자의 풍만하고 부드러운 가슴에 파묻혀서 하마터면 질식할 뻔했다.

이렇게 된 경위는 알 수 없었지만, 아무래도 살아남은 건 확실한 듯했다.

"여긴……? 혹시 『고대의 숲』 지하에 있는, 『대성역』의—."

"네. 에이릴이 얘기하길, 『숙(宿)』이라는 시설인 것 같아요."

"그것보다, 왜 알몸으로 껴안고 있는 거야?!"

차츰 판단력이 돌아오기 시작한 룩스가 당황하며 물었다.

"룩스 님의 장의가 넝마나 다름없었고, 다친 곳을 치료하기 위해서 실례인 줄 알면서도 벗길 수밖에 없었는데…… 역시 맨몸도 멋지시네요."

"내 몸에 대한 소감은 됐어! 그런 게 아니라……!"

어떻게든 로자의 가슴에서 벗어나려고 했지만, 힘이 들어가지 않아 몸이 잘 안 움직였다.

결코 저항하기 힘든 유혹 때문이 아니라 체력이 저하된 탓이다.

―그럴 터다.

"룩스 님의 몸이 얼음장 같았기에, 제 온기로 녹여드리고자—."

"그랬구나……가 아니라, 이젠 괜찮아! 이런 모습을 누가 보기라도 하면 오해—."

에이릴이 이곳으로 데려와서 치료했다면, 적어도 룩스의 동료 소녀들 몇 명이 근처에 있을 테니 위험하다.

"괜찮아요. 그보다도— 지금은 푹 쉬세요. 제 몸으로."

로자가 한껏 도취된 미소를 떠올리며, 입술을 가까이했다.

"잠깐, 로자."

룩스의 가슴과 밀착되어 눌린 로자의 가슴. 그 부드러움에 룩스의 머릿속이 멍해졌다.

바로 그때.

키잉!

방 밖에서 유적의 공간전송 장치가 기동하는 소리가 들렸다.

"아앗! 이러다 큰일나겠어! 로자, 얼른 떨어져서 옷 입어!"

"아앙. 룩스 님도 참. 기뻐요."

그녀의 어깨를 잡고 밀어낼 생각이었는데, 좌우의 부푼 가슴에 손가락을 파묻고 말았다.

그 순간 방문이 열리더니 소녀들의 발소리가 수수께끼의 방 안을 가득 채웠다.

"오빠! 세리스 선배랑 피르히 씨도 데려왔어요. 몸은 좀— 멀쩡한가보네요……."

"Yes. 괜히 걱정했습니다."

하필이면 이 모습을 가장 보이고 싶지 않은 사람— 동생과 그 친구가 선두였다.

아니, 그냥 잔뜩 모여 있었다.

†

"한시가 급한 상황인지라 재판은 뒤로 미루겠지만, 일단 유죄로 해둘게요."

"재판하기도 전에 유죄 확정하는 게 어딨어?! 애초에 난 기절해서 아무것도 몰랐는데?!"

도끼눈을 뜨고 째려보는 장의 차림의 아이리에게, 새 장의를 입은 룩스가 이의를 제기했다.

"우리가 필사적으로 싸우는 동안 소년은 로자와 침대에서 불장난을 벌이다니. 이건 용서할 수 없는 행위……."

소피스도 어이없어하는 듯한 무표정으로 핀잔을 주었다.

"하아…… 이 급박한 때에도 그런 짓을 하다니…… 오빠는 역시 오빠라니까……."

얼굴에 아직 앳된 느낌이 남아 있는 메르는 이마를 짚으며 탄식했다.

"룩스 군. 나 있지, 진짜 많이 걱정했거든."

에이릴은 생글생글 웃고 있긴 했지만, 눈가는 어둡게 그늘져 있었다.

"너그럽게 봐주라고, 에이릴. 이 녀석도 남자니까 어쩔 수 없었겠지."

"맞아. 영웅은 색을 밝힌다는 말이 있을 정도인걸."

"은근슬쩍 내가 원해서 한 짓처럼 왜곡하지 말아줄래?!"

그라이퍼와 크루루시퍼의 도움 아닌 도움에 룩스는 즉각

딴죽을 걸었다.

"뭐, 어쩔 수 없네요. 이렇게 숨을 돌릴 시간도 얼마 안 남 았으니까, 후회가 남지 않게 보내야 하겠죠."

아이리가 한숨과 함께 그렇게 말하며 얘기를 마무리했다.

"루크찌. 나는 아직 뭐가 어떻게 된 건지 잘 모르겠는데……."

"뭔가 터무니없는 일이 일어났다는 얘기는 그들에게 들었어."

그런 와중에도 티르파와 샤리스는 여전히 당황스러운 표정 을 짓고 있었다.

현재, 휴식 및 치료를 위한 시설『셸터』에는 에이릴의 권한 으로 멤버들이 집합해 있었다.

그 면면을 살펴보자면 다음과 같았다.

『창궁사단』진영이었던 에이릴, 아르마.

신왕국 진영에서는 크루루시퍼, 피르히, 세리스, 트라이어드.

『칠용기성』에서는 메르, 그라이퍼, 로자, 소피스.

그들 중 반수가 시간 경과 및 룩스와의 접촉으로 인해 세계 개변의 주박에서 풀려나고 있는 듯했다.

"우선 현재 상황부터 설명할게요. 오빠가 정신을 잃고나서 두 시간이 지났어요. 그리고— 다른 기룡사들은 거의 없어요. 다들 전투를 중단하고 곳곳에 숨었죠."

"—뭐?"

아이리의 설명을 듣고, 룩스는 당황했다.

신왕국과『창궁사단』진영은 각자 원하는 바를 이루기 위해 이곳『고대의 숲』에서 전투를 벌였다.

그런데 아르마를 빼앗기지 않아 마침표를 찍을 방법이 없는 이 상황에서 전투가 끝났다면—.

"『성식』이 날뛰기 시작했어. 피아를 구분하지 않고 마구잡이로 공격하기 시작했지. 룩스 군이 공주님에게 당한 직후에 말이야."

크루루시퍼는 리샤와 싸우던 룩스를 보았고, 그 후에 세계 개변의 주박을 깨부쉈다.

과거에 룩스가 크루루시퍼를 구하기 위해서 목숨을 걸었을 때와 오버랩되는 모습을 본 것이 계기가 되어 기억을 되찾을 수 있었다.

격추당한 룩스를 거두어서 아이리와 아르마, 에이릴. 그리고 로자와 소피스, 메르와 그라이퍼 등 『칠용기성』의 정예들과 합류했다.

그 뒤로도 신왕국군과 『창궁사단』 기룡사들의 전투는 계속됐지만, 라피가 자아를 잃고 양쪽 모두를 공격하게 된 시점에서 상황이 변했다.

"양 진영 모두 피해를 입는 걸 보고 우리는 사태를 수습하러 갔어요. 『고대의 숲』 곳곳으로 이동해서 기룡사들을 말리고 숨을 수 있게 도와주었죠. 다행히도 희생은 그리 크지 않았어요."

『성식』과 융합한 라피의 성질이 정신상태와 함께 변화했다.

역시 룩스의 예상대로 세계를 붕괴로 인도하는 괴물로 변할 운명이었던 것이다.

"겨우 깨달았어. 룩스 군이 왜 『창궁사단』이라는 가짜 적을 조직해서 신왕국을 무너뜨리려고 했는지……."

결과적으로 라피가 『기사단』 멤버에게 『세례』를 베풀었기 때문에 인식 조작의 주박에서 벗어나게 된 셈이었으나, 달리 생각한다면 끝까지 라피의 이변을 깨닫지 못할 가능성 또한 있었다.

때문에 남몰래 미지의 위협을 제거하기 위해서, 대외적으로는 신왕국의 적이라는 형태로 싸운 것이다.

"하지만……."

룩스는 어두운 표정으로 고개를 숙였다.

결국, 계획은 물거품이 되었다.

마지막 전투에서 리샤에게 패배하는 바람에, 이렇게―.

"아……! 잠깐, 리샤 님은―."

"진정해, 룩스 군. 그녀는 무사해. 일단은, 말이지."

리샤가 이 자리에 없는 것을 보건대, 여전히 주박에서 벗어나지 못한 것이리라.

"라피 여왕 폐하도 수양딸인 리샤만큼은 진심으로 아끼셨는지 아직까진 공격하지 않았어요. 하지만 이제 시간이 없습니다. 그녀를― 구출해야 해요."

"네……."

룩스는 세리스의 말에 고개를 끄덕였다.

자신이 해야만 하는 일이라는 것은 똑똑히 알고 있었다.

필시 라피와 함께 있을 리샤를 찾아가서 『성식』을 파괴한다.

즉— 괴물로 변한 라피를 처치해야 한다는 뜻이다.

완전히 자아를 잃어버린 라피가 리샤에게 위해를 가하기 전에.

물론 인식 조작에서 벗어나지 못한 채 여전히 오해하고 있는 리샤와 직접 대결하게 되리라.

아직 건재한 자동인형 두세 명과 『성식』을 상대하면서.

현재 이쪽의 전력은 멤버 자체는 쟁쟁했지만, 극도로 지친 탓에 제 실력의 반조차 못 낼 것이다.

'과연, 지금 우리의 힘으로 이길 수 있을까? 그 『성식』과 리샤 님을—.'

쉽지 않다.

아니, 불가능하지 않을까?

최악의 경우에는 리샤만이라도 라피 곁에서 구출하고 싶었지만, 『성식』에게 접근하고 무사히 돌아올 수 있으리라고 생각할 수 없었다.

수양딸에게 집착하는 라피의 자아가 남아 있다면 더더욱.

무엇보다도 『세례』의 힘도 못 쓰는 지금의 자신에게는 어림없는 일이었다.

그렇게 골똘히 생각에 잠겨 있는 룩스에게 크루루시퍼가 조심스럽게 다가갔다.

"룩스 군. 쉽지 않은 선택이겠지만— 네가 정해주겠니?"

"……"

"싸울 건지, 도망칠 건지. 어쩌면 도망칠 수 있을지도 몰라. 하지만— 그때는 두 번 다시 이 『고대의 숲』에 돌아올 수 없어."

"그렇겠지. 아마 네 형님이 우리의 인식을 조작해버릴 테니까. 그리고 나쁜 소식이 있는데, 조금 전에 『그랑 포스』를 빼앗겼다. 이 싸움이 끝나는 대로— 아니 지금 당장 후길이 『모형 정원』으로 달려가기라도 하면 세계 개변은 아무도 못 막아."

"—."

룩스는 그라이퍼의 말에 놀라 잠시 숨을 멈췄다.

이 싸움의 끝을 지켜본 후길이 일곱 개의 유적과 『대성역』을 동시에 기동하면, 다시 《우로보로스》에 의한 세계 개변이 시작된다.

그렇게 되면, 이번에야말로 완벽하게— 그들은 모든 것을 잊게 되리라.

이 싸움이 있었다는 것조차도.

그리고 『성식』이 집어삼킬 리샤에 대해서도.

"……."

룩스는 그러한 물음들에 대답할 수가 없었다.

답은 처음부터 정해두었는데도.

리샤를 구하지 않고 물러나는 길 따위는 없는 게 당연하건만.

지금 룩스는 도저히 그 둘을 이길 자신이 없었다.

"잠시…… 혼자서 생각을 정리하고 싶어."

아니다.

이런 말을 하고 싶었던 게 아닌데.

이 싸움을 시작한 자신이 모두를 이끌어 나가야 하는데.

"—알았어. 룩스 군을 조금만 더 쉽게 해주자. 아직 체력도

다 안 돌아왔잖아."

크루루시퍼는 룩스의 표정에서 무언가를 헤아렸는지 주위를 둘러보며 그렇게 말했다.

"하지만 오빠, 이젠 시간이 없어요. 후퇴하든 싸우든, 앞으로 십여 분 안에 결정해야—."

"응. 30분, 아니…… 20분만 줘."

그 힘겨운 대답을 듣고 일동은 옆방으로 이동했다.

룩스는 침대에서 상체를 일으켜 앉아 은백색 벽면을 응시했다.

"나는— 대체 어떻게 해야 할까?"

싸울 각오라면 예전에 끝마쳤을 것이다.

그러나 리샤와 격돌했을 때, 자신의 몸에 깃든 『세례』의 힘을 왜 쓰지 못했을까?

자신의 모든 것을 불사른 끝에 패배하는 것은 오히려 바라던 바라고 할 수 있건만.

끝까지 자신을 믿고 따라와 아낌없이 협력하는 이들이 있건만.

자신은, 이제와서 무엇을 망설이는 것인가.

『너는 자신의 약함조차 자각하지 못했다. 네가 걸어야 할 왕의 길에서 눈을 돌렸을 뿐이란 말이다. 싸워보지도 않은 주제에 패배했다고 한탄하다니— 너는 「무패의 최약」 아니었던가?』

룩스의 의식 속에서 싱글렌의 환영이 남긴 말.

그것은 본인이 직접 한 말이 아니다.

룩스의 내면에 잠재한 이미지가 자아낸 말이다.

"리샤 님. 저는—."

나지막하게 내뱉은 그 말을 듣는 이는 아무도 없었다.

†

"하아, 하아……! 후길, 현재 상황은 어떤가요?"

"『중추』부근을 둘러보고 왔는데…… 이번 전쟁의 결말은 이미 정해진 거나 다름없어 보이는군요."

『대성역』중추— 무수한 톱니바퀴가 쉼 없이 돌아가는 은색 방. 라피는 그곳에 마련된 간소한 침대에 누워 있었다.

너덜너덜한 드레스를 걸친 라피는 외상은 없었지만, 전신에 스며든 권태감 탓에 제대로 움직이지 못했다.

융합한 『성식』의 힘을 해방해서 싸우는 도중에 의식이 끊겼다.

그것도 몇 분이 아닌 몇 시간 단위로.

다시 정신이 돌아왔을 때는 자동인형 아샤리아만이 곁에 있었으며, 후길은 룩스가 리샤에게 당한 타이밍에 어떤 사명을 수행하는 중이었다.

다름 아닌 라피의 목적을 이루기 위한 사전 준비를.

『그랑 포스』는 『창궁사단』이 들고 도망다녔지만, 그들을 쫓던 두 자동인형이 레이더로 포착해서 회수했다.

신왕국의 제1유적과 『탑(루인)(바벨)』을 관리하는 통괄자(기어 리더) 요스 토크는 요루카와 교전한 끝에 격파당했다.

제3유적과 『방주(루인)(아크)』를 관리하는 통괄자(기어 리더) 라 클루셰는 로자에게 패배하여 격파당했다.

제5유적과 『거병(루인)(기가스)』을 관리하는 통괄자(기어 리더) 엘 파쥴라는 피르히와 룩스에게 격파당했다.

제6유적과 『모형 정원(루인)(가든)』을 관리하는 통괄자(기어 리더) 클랑리제는 에이릴과 『그랑 포스』를 빼앗길 때 룩스에게 격파당했다.

제7유적과 『달(루인)(문)』을 관리하는 통괄자(기어 리더) 리 프리카는 소피스에게 격파당했다.

"우리 쪽 전력도, 얼마 안 남았네요……."

제0유적과 『대성역(루인)(아발론)』의 아샤리아를 제외하면, 남은 자동인형(오토마타)은 단 두 명.

제2유적과 『미궁(루인)(던전)』의 통괄자(기어 리더) 루 카리아와 제4유적과 『갱도(루인)』의 통괄자(기어 리더) 네이 루슈 뿐이다.

다시 수복하려면 시간이 꽤나 필요하리라.

세리스, 피르히 등 신왕국의 전력도 괴멸되었으며 크루루시퍼는 인식의 주박이 풀려 룩스 쪽에 붙은듯했다.

"적도 제법이군요……. 완벽한 포진이었던 우리를 상대로 이렇게까지 저항할 줄이야. 역시 5년 전에 혁명을 이뤄낸 『검은 영웅』다워요."

라피는 리샤 근처에서 교전하던 자동인형의 연락을 통해

『창궁사단』의 주모자가 예상대로 룩스였다는 점도 확인했다.

빼앗긴 『그랑 포스』의 회수에도 성공했으니 후길이 『모형 정원』에 다시 설치하기만 하면 된다.

유적의 시스템이 부활하면 다시 《우로보로스》로 세계를 개변할 수 있다.

나머지 방해 요소를 정리한 다음, 이 『중추』에서 그것을 실행하면 모든 것이 끝난다.

"《우로보로스》가 세계 개변을 실행할 에너지를 다 모을 때까지 시간이 더 필요하겠죠?"

"네— 경비는 자동인형들에게 맡겨주세요."

"그렇다면 안심이네요. 그리고 리샤는…… 제 딸은—?"

라피는 드러누운 채 오른손을 힘없이 허공에 뻗었다.

"당신의 명령을 따라 적을 격퇴하러 갔습니다. 『창조주』에 이릴 뷔 아카디아의 권한을 이용해서 『대성역』의 시설, 『셸터』에 있는 모양입니다. 리샤 공주의 주박은 룩스와 교전한 후에도 풀리지 않았습니다. 여전히 우리 편입니다."

『대성역』의 통괄자 아샤리아는 그렇게 보고했다.

그러자 긴장이 풀린 것처럼 라피는 온몸에서 힘을 뺐다.

"그렇군요. 그곳으로 달아났단 말이죠……. 그렇다면 저도 가야 하겠네요."

"아니요— 이미 그녀가— 당신의 딸이, 남은 자동인형 둘과 함께 출격했습니다."

"그러니 더욱 가야 해요."

자동인형 아샤리아의 지적에 라피는 살짝 고개를 저었다.

"그 아이 홀로 모든 것을 짊어지게 할 수는 없으니까요."

그렇게 말하는 그녀의 얼굴에는, 이미 자아 대부분을 성식에게 빼앗겼을 라피의 얼굴에는, 리샤를 생각하는 마음이 남아 있었다.

Episode 4　사랑과 결투

"……."

룩스는『셸터』에 구비된 치료 장치에 들어가 체력을 회복했다.

두 시간 가까이 쉬긴 했지만, 거기에 20분을 추가로 회복한다고 해서 만전이라고 할 수는 없을 것이다.

리샤 역시 두 시간 동안 휴식하며 에너지를 회복했을 터다.

다시 맞붙는다고 해서, 과연 룩스가 이길 수 있을까?

방에는 룩스 홀로 있었다.

그것만으로도 고독이 사무치는 것 같았다.

'싸워야만 해……. 그런데, 왜 이제 와서 망설이는 거야.'

눈을 감고 생각해보아도 답은 나오지 않았다.

그리고『셸터』밖 지상에는 이미 위기가 닥쳤다는 사실도 룩스는 알지 못했다.

†

"―역시, 이렇게 됐구나."

룩스가 쉬고 있는 치료실 옆.

지상과 연결된 전송장치가 설치된 로비 비슷한 홀의 스크린으로 크루루시퍼 일행은 바깥 상황을 보고 있었다.

"『창궁사단』의 잔당이여. 너희가 거기에 숨어 있음을 안다. 지금 바로 그 시설 밖으로 나와 에이릴을 해방해라. 내 동생, 아르마 아티스마타에게도 고한다!"

지상의 리즈샤르테는 가면을 쓴 기룡사— 자동인형을 대동하고 있었다.

아직 세계 개변의 주박에서 벗어나지 못한 리샤는 자신이 거느린 부하 자동인형을 신왕국군 기룡사로 생각하고 있었다.

"정확히 3분을 주마. 그 안에 나오지 않는다면 《세븐스 헤즈》로 시설을 통째로 날려버릴 것이다. 대답하지 않아도 동일하다. 각오하는 게 좋을 것이다."

『셸터』위 지상의 광경.

그 영상을 출력하는 은색 벽의 스크린을 그 자리에 모인 모두가 보고 있다.

세리스, 피르히, 로자, 소피스. 그리고 아이리와 트라이어드는 아직 체력이 회복되지 않았다.

『셸터』의 치료 장치와 에너지는 거의 룩스의 회복에 집중했기 때문이다.

절체절명의 상황 앞에서 모두가 당황하는 가운데, 크루루시퍼가 가장 먼저 소파에서 일어났다.

"메르, 그라이퍼. 너희는 아직 싸울 수 있지? 이 세상을 구하는 명장면을 연출할 기회를 양보할게."

장의 차림의 크루루시퍼는 자신의 푸른 장발을 쓸어 올리며 말했다.

"나는 저 공주님이 정신을 번쩍 차리게 해줄 거야. 그러니 나머지 자동인형들은 너희에게 맡기고 싶은데."

"명장면을 양보하겠다니, 듣기야 좋지만 그냥 귀찮은 일을 떠넘기려는 것뿐이잖아."

"참내, 사람을 사정없이 부려먹는 아가씨로군."

하지만 메르와 그라이퍼도 사대 귀족인 니아와 다우라를 상대했기 때문에 다소 피로가 남아 있었다.

그러므로 현 상황에서 적과 맞서 싸우기에는 이 포진이 분명히 최적이었으나, 그만큼 힘겨운 싸움이 될 터였다.

"크루루시퍼, 괜찮겠어요? 당신도 강해졌다는 건 알고 있지만……."

연장자인 세리스가 걱정스레 물어보았다.

"공주님, 강해보여. 어쩌면, 지금이 최강일지도―."

지금까지 침묵을 지키고 있던 피르히조차 그렇게 말할 정도로 리샤의 전신은 뜨겁게 이글거리고 있었다.

"나도 알아, 그녀가 강적이라는 것쯤은. 여기 있는 그 누구보다도 잘 알지."

리샤가 『세례』를 받고 룩스와 직접 맞붙기까지 했는데도 세계 개변의 주박에서 벗어나지 못한 것은 단순한 우연이 아니다.

"그녀는 양어머니인 라피 여왕 폐하에게 공감하고, 사랑하고 있어. 그래서 깨닫지 못한 거야. 그리고 그 강한 의지로 힘을 늘리고 있지."

신왕국을 지키기 위해서— 자신과 같은 고통을 겪었음에도 그것을 딛고 일어난 양어머니를 지키기 위해서.

그 몸에 깃든 투지를 불태우고 있다.

사람이 거짓말에 속을 때, 가짜임을 깨닫지 못할 때, 판단력을 흐리게 하는 가장 강력한 요소는 바로 믿고 싶지 않다는 마음이다.

룩스가 적으로 돌아섰다고, 라피가 괴물로 변해버렸다고 믿고 싶지 않았다.

그렇기에— 리샤는 아직까지 꿈속 세계에서 빠져나오지 못한 것이다.

"룩스 군은, 그녀가 아무것도 모르게 둔 채로 전부 해결하려고 했어. 하지만 그러면 안됐던 거야."

"안되다니, 무슨 뜻이야? 오빠의 생각이 틀렸다는 거야?"

조금 전 집합했을 때, 아르마에게 이번 계획의 자초지종을 들은 메르가 물었다.

인식이 개변된 탓에 진실을 알아차릴 수 없는 이 세상에서, 아무도 모르게 라피와 후길을 쓰러뜨리려고 했던 룩스의 계획.

"응, 정확해."

크루루시퍼는 조금의 망설임도 없이 대답했다.

평소에는 복잡하게 얽힌 사정 같은 것에 관심을 갖지 않는 그라이퍼도 이 이야기에는 고개를 갸웃거렸다.

"그건 너무 억측아냐? 무모하기 짝이 없는 계획이라는 것엔

나도 동감하는데, 어차피 왕자님에겐 그 길밖에 없었잖아. 그렇다면—."

"아니, 분명히 틀렸어. 다른 누구도 아닌, 룩스 군 본인이. 그 자신조차 파악하지 못한 요인 때문에. 그러니까— 대신 이뤄줘야 해. 룩스 군 대신에."

전투 속에서, 전투를 통해서 리샤를 일깨운다.

크루루시퍼는 그런 결의를 가슴에 품고서 전송장치에 올라섰다.

†

"1분 남았다. 항복하지 않으면 공격을 개시하겠다."

지상에서는 《티아마트》를 장착한 리샤가 『창궁사단』의 주요 멤버가 나타나기를 기다리고 있었다.

룩스와 교전한 후 리샤 역시 힘이 다해 정신을 잃었다. 그러나 그녀가 깨어났을 때, 자동인형 아샤리아가 라피의 명령대로 장갑기룡을 완벽하게 수리해두었다.

유적의 장치를 이용해서 고쳤다는 설명을 들었지만, 그것이 『대성역』의 중추 얘기라는 것은 인식하지 못했다.

아니, 지금의 리샤는 현재 상황을 정확하게 인식하는 것 자체가 불가능했다.

《우로보로스》가 인식을 조작한 탓에 라피에게 불리한 의문은 리샤가 납득할 수 있는 형태로 알아서 보완되었다.

"전하, 이제 시간이 없지 말입니다. 후딱 날려버리시는 편이⋯⋯."

라피가 호위로 붙여준 가면 쓴 소녀 기룡사가 옆에 재촉했다.

나르프 재상에게 물려받은 신장기룡 사용자라는 설정의 어색한 점도 리샤는 깨닫지 못했다.

"맞아요─."

반대편에서는 기계로 된 고양이 귀를 달고 있는 소녀가 맞장구쳤다.

"말은 그렇게 했지만, 내 동생 아르마가 저기에 있고, 에이릴이 인질로 잡힌 이상 난폭한 짓은 할 수 없다. 위협사격은 그렇다 쳐도─ 본격적으로 공격하려면 드릴로 외벽을 뚫어서 진입할 수밖에 없겠지."

리샤가 그 질문에 의연히 대답한 순간, 대지에서 빛의 입자가 소용돌이쳤다.

"한시름 놓았어. 네 의식이 아직 남아 있어서. 라그나뢰크에 세뇌 당하지는 않았구나."

"─크루루시퍼. 왜 네가 거기 있느냐?"

신장기룡 《파프니르》를 장착한 푸른 머리 소녀는 느릿하게 앞머리를 쓸어올리며 웃었다.

"이유 정도는 스스로 생각해야 하지 않을까? 명색이 한 나라의 왕녀라면─."

"⋯⋯시시한 문답이나 나눌 때가 아니라는 걸 모르느냐?!"

소녀의 쿨한 반응에 리샤는 눈꼬리를 매섭게 치켜세우며 대답했다.

"맞아. 그럴 때가 아니지. 머지않아 이 세계는 붕괴될 거야. 『성식』이 본격적으로 움직이기 전에 쓰러뜨리지 않으면, 우리는 전부 죽게 되겠지."

"지금 무슨 말을 하는 거냐?! 너는 대체─."

크루루시퍼의 의미심장한 말에 조바심이 난 리샤는 분노를 드러내며 허리에 찬 기공각검을 뽑았다.

동시에 크루루시퍼도 신장기룡《파프니르》의 저격총을 들고 총구를 리샤에게 겨눴다.

"지금의 너는─ 백날 얘기해봤자 이해 못 할 거야. 그러니까, 싸우자."

탕─!

최소한의 예비동작으로 방아쇠를 당긴다.

지상에서 공중으로 한 줄기 푸른 궤도를 그리는《동식투사》^{프리징 캐논}의 탄환. 그러나 리샤 앞으로 뛰쳐나온 진홍색 신장기룡이 이를 튕겨냈다.

"─방해하지 마, 라는 말입니다. 신왕국의 배신자가."

강아지 귀를 모방한 기계 귀가 머리에 돋아난 자동인형, 네이 루슈가 으름장을 놓았다.

몸을 뒤덮은 신장기룡《샐러맨더》의 장갑에서 불꽃을 피워올리며 예리한 적의를 담아 크루루시퍼를 노려보았다.

유미르 교국 유적 『갱도』의 통괄자인 그녀와는 잘 아는 사이였지만, 기억에 남아있는 모습과는 사뭇 달랐다.

『대성역』에 남아있던 기억 데이터로 인격을 덮어쓴 것이리라.

하지만 지금은 그런 감상에 젖어있을 때가 아니었다.

눈앞의 두 자동인형은 대단히 위협적인 존재였다.

"메르, 그라이퍼. 예정대로 부탁할게. 나는 그녀를 상대하는 것만으로도 버거우니까—."

"에휴— 나한테 하나 빚진 거다?"

"글쎄, 이 인형들도 의외로 쉽지 않은 상대일 것 같은데—."

지상으로 올라온 메르와 그라이퍼는 마치 크루루시퍼에게 대답하는 것처럼 각자의 신장기룡과 함께 전진했다.

『미궁』의 통괄자 루 카리아도 더없이 진지한 표정으로 자신의 무장에 손을 뻗었다.

"나를 쓰러뜨릴 수 있을 성싶으냐, 크루루시퍼. 신왕국을 배신한 네가!"

"반드시 쓰러뜨릴 거야. 룩스 군을 위해서도—."

리샤와 크루루시퍼.

시선이 교차되는 순간, 두 사람은 움직였다.

그리고 조금 떨어진 위치에서도 메르, 그라이퍼와 대치하고 있던 자동인형 네이 루슈, 루 카리아가 격돌하여 3 대 3 결투의 막이 올랐다.

†

"결국, 시작되었군요……."

『대성역』 지하에 숨겨진 시설 『셸터』에서 세리스가 은색 벽에 떠오른 스크린을 바라보며 중얼거렸다.

지상의 광경.

『창궁사단』을 적으로 인식하고 있는 리샤를 저지하기 위해서 크루루시퍼와 『칠용기성』이 싸워야만 하는 상황에, 그리고 자신은 참전할 수 없다는 사실에 세리스는 가슴이 미어지는 것만 같았다.

"참 한심하네요. 『기사단』의 최연장자인 제가, 이렇게 지켜보고 있을 수밖에 없다니—."

그리고 흐린 표정으로 고개를 숙이자.

"너무 자책하지 마, 세리스 씨. 《우로보로스》의 인식 주박을 깨뜨린 것만 해도 얼마나 대단한 일인데."

은발 소녀 에이릴이 그녀를 위로했다.

특히 세리스는 『성식』과 동화된 라피가 사용한 라그나뢰크 이블리스 능력— 정신오염에 세뇌당한 여파로 소모가 극심했다.

『셸터』의 치료 장치도 룩스에게 양보한 상황이라 자연회복에 기댈 수밖에 없었다.

"맞아, 맞아. 우린 아직도 반신반의하다구. 다들 그렇게 말하고, 그렇게 믿고 있으니까 그럼 그런가부다~ 하고 대충 받아들였을 뿐이지."

"No. 당신이 그런 얘길 하면 공연히 불안해지니까 그만하세요, 티르파."

"동감이야. 아마 그 《우로보로스》의 능력도 이제는 거의 다

희석됐겠지만……."

티르파, 녹트, 샤리스 순으로 저마다 소감을 밝혔다.

퍼레이드 당시의 세계 개변은 룩스 일행의 방해로 인해 불완전하게 끝난 까닭에, 이 『고대의 숲』에서 싸우던 사람 대부분은 인식 조작이 만들어낸 거짓된 광경과 진실을 뒤섞인 채로 경험했다.

트라이어드와 『칠용기성』의 절반이. 그리고 리샤도 예외는 아닐 것이다.

그래서 룩스를 두 눈으로 확인하고도 안 믿는 것이라고, 이곳에 남은 멤버들은 생각했다.

그러나―.

"……내 추측인데, 눈치챈 것 같아. 공주님은. 하지만 아닌 척하는 거라고 생각해."

은색 벽의 스크린을 바라보던 피르히가 멍한 무표정으로 중얼거렸다.

그녀도 세리스처럼 룩스와 교전한 후에 인식을 되찾았고, 지금은 이곳에서 쉬는 중이었다.

"눈치채요? 무엇을…… 말이죠?"

아이리는 그 주장을 듣고 무심코 되물었다.

리샤에게 걸린 인식 주박은 풀리지 않았다.

그래서 룩스가 진짜라고 받아들이지 않는 것이다. 그게 아이리와 나머지의 인식이다.

"분명, 루우도 같을 거야. 그러니까― 필요하다고 생각해.

진실을 마주보는 게."

피르히는 지상에서 벌어진 전투를 스크린 너머로 멍하니 바라보며 나지막하게 중얼거렸다.

†

"당신한테 볼일 없거든요—. 그러니까 얼른 쓰러져 주세요—."

머리에 기계고양이 귀를 달고 있는 자동인형 루 카리아가 정체불명의 신장기룡을 두르고 그라이퍼에게 돌격했다.

그러자 금발 소년은 신물 난다는 표정을 숨기지도 않으며 대꾸했다.

"영 흥이 안 나는걸. 고양이 귀를 달고 다니는 웃긴 녀석들과 놀아줘야 한다고 생각하니까!"

"뭐야, 당신 설마 그런 취향이었어?"

바로 옆에서 다른 자동인형을 상대하던 메르가 농담을 던지자, 소년은 어처구니없다는 투로 받아쳤다.

"이 녀석들 말에 찬성한다는 뜻이야. 상대하기 싫다는 점만."

그라이퍼의 비행형 신장기룡 《쿠엘레브레》는 견고한 장갑과 기동력을 겸비했다.

그와 대치한 루 카리아가 조종하는 것은 처음 보는 기계 날개 장식을 가진 기룡이었다.

그라이퍼는 자동인형의 신장이나 특수 무장의 정체를 알 방법이 당연히 없었지만, 일직선으로 돌진해서 사복검 특수 무장 《용미연검》으로 공격했다.

"갑자기 적극적으로 변하셨네요—."

"백날 생각해도 해보지 않으면 소용없다는 게 내 방침이걸랑."

직선 궤도를 그리는 일반적인 냉병기와 다르게 《용미연검》은 날이 여러 조각으로 나뉘어 있는 까닭에 채찍처럼 쓸 수도 있다.

그래서 뱀이 꿈틀대는듯한 나선 궤도로 상대 신장기룡의 어깨를 노렸으나—.

궤도가 틀어져서 상대가 든 블레이드의 칼등에 부딪쳤다.

첫 공격은 상대에게 명중할 확률이 낮기 때문에 결과 자체는 특별할 게 없었다.

그러나 노련한 『탐랑』 그라이퍼는 무언가 이상하다는 것을 순식간에 통찰하고 경계했다.

"……뭔 짓을 한 거지? 방금 그게, 네 신장기룡의 신장이냐?"

"맞아요—. 제 《케찰코아틀》의 힘이랍니다."

"하!"

그라이퍼는 루 카리아와 대치한 채 쓴웃음을 지었다.

"적이 비밀을 물어봤는데 솔직하게 대답하다니. 내가 그렇게 쉬워 보이냐?"

"기껏 대답해줬는데 화를 내다니 부조리하네요—."

"그라이퍼, 놀고 있을 때가 아냐."

바로 근처에서 네이 루슈와 교전 중인 메르가 잔소리했다.

하지만 눈앞의 적이 방심할 수 있는 상대가 아니라는 건 그라이퍼 본인이 그 누구보다도 똑똑히 실감하고 있었다.

지금까지 상대해 본 어떤 적보다도 이질적이며, 가공할 힘을 가졌다는 것을—.

"직접 까발려주마. 그 신장의 정체를 말이야!"

《쿠엘레브레》의 배면 날개에 에너지를 보내서 재차 《케찰코아틀》을 강습했다.

이에 대처하기 위해 루 카리아가 기공각검을 뽑고 말없이 염원하자 오른쪽 장갑팔에 쥔 중형 블레이드와 동일한 것이 왼쪽 팔에 소환됐다.

"굳이 추가로 소환한 게 평범한 블레이드? 점점 이해할 수 없는 짓을 하는구만. 대체 무슨 꿍꿍이냐?"

"뭐— 곧 알게 될 거예요. 그리고 이 블레이드는 평범한 블레이드랍니다—. 안심하세요."

"그 시끄러운 주둥이를 틀어막아주마."

루 카리아의 능청스러운 표정과 말투에 화가 끓어오른 그라이퍼는 단숨에 접근하며 공격에 나섰다.

나선의 궤도를 그리는 《테일 블레이드》의 연격을 노도처럼 퍼부었다.

"와—. 강하네요— 당신—."

"이래도 나불댈 수 있을까?"

《테일 블레이드》가 루 카리아의 중형 블레이드를 휘감아 낚아챘다.

이어서 남은 검 하나도 강탈하고 무장을 전부 잃은 《케찰코아틀》을 뺐다.

"뒈져라, 세계 붕괴에 가담한 꼭두각시!"

"그러긴 싫은데요—."

그라이퍼는 혼신의 일격으로 《케찰코아틀》을 두른 루 카리아의 몸통을 노렸다.

장벽을 찢고 자동인형의 복부를 갈라버렸다고 생각했는데, 아주 약간 궤도가 틀어져서 적이 든 블레이드에 부딪쳤다.

"……?!"

그라이퍼가 빼앗은 블레이드 두 자루는 땅에 떨어져 있다.

즉, 《케찰코아틀》은 또다시 두 자루의 무장을 소환한 것이다.

'이 녀석, 무장을 얼마나 등록해둔 거야? 아니면 즉석에서 만드는 건가?'

일반적인 기룡은 추가로 소환 가능한 무장의 수량이 한정되어 있다.

떨어진 곳에 있는 무장을 전송할 때는 에너지가 꽤 많이 필요하기 때문이다.

"《케찰코아틀》의 특수 무장이에요—. 《삼색조》라고 하는데— 미리 등록해둔 무장을 100개까지 추가로 소환할 수 있거든요—."

—푸콱!

"크, 악……!"

루 카리아는 나른하게 대답하는 동시에 《케찰코아틀》의 오른손에 쥔 블레이드를 《쿠엘레브레》의 장갑에 꽂아 넣었다.

그라이퍼는 순간적으로 장벽을 강화해서 맨몸 부분의 대미지를 줄이기는 했지만 충격 탓에 잠시 움직임이 멈췄다.

"그러니까— 무기를 빼앗아도 소용없네요—."

계속해서 루 카리아는 반대쪽 손에 쥔 블레이드를 수직으로 내리그었고, 그 일격도 정통으로 꽂혔다.

이번에도 장벽으로 방어해서 치명상은 아니었지만 어깨를 강타당한 탓에 기룡의 출력이 저하됐다.

그 광경을 약간 떨어진 후방에서 지켜보던 메르는 황급히 소리쳤다.

"그라이퍼! 지금 뭐하는 거야! 당신이 터프하고 저돌적이라는 건 알지만, 그렇게 대놓고 맞아 주다간—."

"시끄러! 넌 네 싸움에나 집중해!"

그라이퍼는 거칠게 대꾸하는 한편, 속으로는 경악했다.

'누가 그걸 모르는 줄 아냐! 난 지금 녀석의 공격을 두 번 다 종이 한 장 차이로 피하려고 했어. 그런데 못 피한 거라고!'

뿐만 아니라 그라이퍼의 공격은 그가 노린 포인트를 아슬아슬하게 빗나갔다.

하지만 적이— 루 카리아가 무슨 수로 이를 해냈는지 알 수 없었다.

이쪽의 움직임을 꿰뚫어 보는 듯한 낌새는 전혀 없었다.

루 카리아와 《케찰코아틀》이 빚어낸 기묘한 수수께끼.

이를 간파하지 않는 한 승산은 없다.

"저 삐죽머리 말이 맞지 말입니다. 넓은 시야는 중요하지만,

눈앞의 적에게 집중하지 못한다면 삼류에 불과해요."

"딱히 당신을 얕잡아보는 건 아냐. 그만큼 여유가 있는 것 뿐이지."

그라이퍼가 싸우는 위치에서 십여 메르 남짓 떨어져 있는 공중. 자동인형 네이 루슈와 메르 기잘트가 서로를 견제하며 대화하고 있었다.

"그렇다면 뼛 속 깊이 새겨드리지 말입니다. 당신들은 진심으로 싸우는 우리를 이길 수 없다는 걸."

진홍색으로 물든 사족보행 신장기룡 《샐러맨더》. 이에 대해서는 조금 전 네이 루슈 본인이 직접 소개했다.

메르는 타오르는 불을 형상화한 듯한 장식과 색상을 보면서 불꽃을 다루는 신장을 쓸 것이라고 추측했다.

손에 꼬나쥔 장창은 창날 끝에서 생성한 기름을 상대 기체에 퍼부은 후 쉽사리 꺼지지 않는 불꽃으로 공격하는 무시무시한 무장이다.

고열에 노출되면 열폭주 현상이 발생해서 기룡의 출력이 다운되지만, 무엇보다도 기룡사의 육체가 버텨내지 못한다.

직격타를 연달아 허용하면 순식간에 목숨을 잃게 되리라.

직감으로 그런 점을 파악한 메르는 거리를 두고 네이 루슈를 상대하기로 정했다.

메르가 장착한 가변형 신장기룡 《드래이그 귀버》의 신장, 《상극의 천리》는 온도를 자유자재로 조작할 수 있다.

불꽃조차도 무효화할 수 있다.

메르가 이해할 수 없는 동시에 경계하는 점은, 자동인형이 자신들에게 불리한 2 대 2 상황을 순순히 받아들였다는 점이다.

'적은 자동인형이야. 우리가 쓰는 신장기룡의 데이터도 다 파악하고 있겠지. 그런데 어째서—.'

메르는 그렇게 생각하며 경계심을 곤두세웠다.

다소 불리한 조건쯤은 극복할 수 있다는 자신감일까?

아니, 이미 자동인형이 다섯이나 당했는데 그런 자만을 부리는 건 이상하다.

'지금은 생각해봐야 답이…… 나올 리 없겠지. 그렇다면—.'

정보가 충분히 모일 때까지 적을 몰아붙일 따름이다.

상대를 서포트하기 위해서가 아니라 다른 이들이 대기하고 있는 지하의 『셸터』가 공격당하는 것을 막기 위해, 현재 메르와 그라이퍼는 그곳과 멀지 않은 위치에서 싸우고 있다.

일이 터졌을 때둘 중 하나『셸터』를 지키러 갈 수 있게끔.

"뭘 꾸미고 있는지는 모르겠는데, 겨우 이 정도로 우리를 이길 줄 알았다면 꿈 깨는 게 좋을걸?"

메르는 가변형 신장기룡 《드래이그 귀버》의 비행형태로 활공하며 일직선으로 《샐러맨더》에 접근했다.

재빠르게 찔러 오는 불꽃의 장창을 몸을 비틀어 피하고, 상대의 옆구리에 할버드를 휘둘렀다.

카앙—!

"—!"

하지만 약간 궤도가 엇나가 창 자루에 막혀버렸다.

"형편없는 공격이지 말입니다. 아직 어린애라 어쩔 수 없겠지만."

공격을 빗맞힌 메르가 한순간 경직된 틈을 놓칠세라 네이 루슈는 기다란 창 자루를 봉처럼 휘둘러서 《드래이그 귀버》의 동체를 후려쳤다.

동시에 흩뿌린 기름에 불이 붙어서 《드래이그 귀버》의 장갑이 거세게 타오르는 듯했으나 순식간에 꺼져버렸다.

《상극의 천리》의 온도 조작 능력으로 장갑 주위를 초저온으로 만들어서 연소를 막은 것이다.

"아직 어리기는 하지. 그런데 당신들도 오랫동안 살아온 것 치고는 별 볼일 없는 것 같은데?"

"과연, 신장 활용법은 완벽하게 통달하셨군요. 다시 봤지 말입니다. 하지만— 이건 어떨까요? 《천지창조》!"

네이 루슈를 뒤덮은 《샐러맨더》의 장갑이 신장의 빛을 발산한 직후, 주위에서 매서운 기세로 불꽃이 피어올랐다.

지하에 『셸터』를 감춘 『고대의 숲』의 일대는 삽시간에 불길에 휩싸였다.

"당신— 대체 무슨 짓을⋯⋯!"

메르는 눈 하나 까딱하지 않고 숲에 불을 지른 네이 루슈를 보며 눈살을 찌푸렸다.

리샤와 크루루시퍼는 여기서 다소 떨어져 있어서 말려들 일은 없겠지만, 그걸 떠나서 범위가 너무 넓었다.

빠르게 손쓰지 않으면 점점 불이 확산되어 자칫 잘못하면 숲 전체가 화마에 삼켜지리라.

근처에 숨어 있을지도 모를 신왕국군 기룡사조차 어떻게 되든 상관없다는 뜻일까.

'적들에게 아직 마음의 여유가 남아 있는 줄 알았는데— 생각이 짧았어. 자동인형들은 무슨 수를 써서라도 이 싸움에서 이길 작정이야.'

지하에 위치한 시설—『셸터』에 남아 있는 동료는 다들 내로라하는 실력자들이지만, 거의 전원이 장갑기룡을 쓸 수 없는 상태다.

적이 이 일대를 불바다로 만들어서 그녀들을 죽이면 그 즉시 승패가 확정된다.

"—큭, 《상극의 천리(듀얼 시프트)》!"

메르는 그 즉시 온도를 낮춰서 화재 진화를 시도했다.

그러자 그때를 기다렸다는 듯 《샐러맨더》가 도약하며 메르와 《드래이그 귀버》를 공격했다.

"큭…… 아악!"

불꽃을 휘감은 장창의 연속 찌르기.

메르는 능숙하게 할버드를 다뤄 그 공격을 튕겨냈지만, 절반은 막지 못해서 장갑이 깎여 나갔다.

기름을 뒤집어쓴 장갑 표면을 태우는 불꽃을 끌 여유도 좀처럼 나지 않았다.

"신장을 쓰려면 고도의 집중력이 필요하지 말입니다. 광범위로 써야 한다면 더 말할 것도 없고요. 과연 저와 싸우면서 동료들을 지킬 수 있을까요?"

"그걸 노리고…… 지하의 『셸터』를 공격한 거야? 되게 비겁한 수를 쓰는구나?"

장갑에 붙은 불을 간신히 다 끈 메르는 네이를 노려보았다.

"비겁하다는 비난은, 눈앞에 닥친 상황을 타파하지 못하는 어리석은 이의 우는 소리이지 말입니다. 어린애라 어쩔 수 없겠지만."

"—하, 말은 참 잘하네."

메르는 도발을 웃어 넘겼지만, 그제서야 지금 자신이 대단히 불리한 상황에 처했다는 사실을 알아차렸다.

바로 조금 전에 진화를 마친 숲은 《샐러맨더》가 다시 불을 지른 탓에 화재가 확산되고 있었다.

'이 인형은 이걸 노리고 《드래이그 귀버》를 가진 날 상대한 거구나.'

메르는 신장 《상극의 천리》로 온도를 조작해서 《샐러맨더》의 화염을 끌 수 있다.

하지만 넓은 범위를 태우는 불꽃을 순식간에 꺼뜨리는 수준의 온도 조작을 여러 차례 사용하면 체력을 대폭 소모하게 된다.

메르는 유미르 교국에서는 비견할 이가 없는 천재 기룡사이기는 해도 아직 열세 살 소녀였으며, 체력도 그만큼 부족했다.

그러나 지하 시설 『셸터』에 화마의 손길이 닿으면 그녀가 직접 진압해야만 한다.

그에 비해 《샐러맨더》를 조종하는 네이 루슈는 특수정제유를 뿌려 두기만 하면 숲의 나무들이 알아서 불길을 확산시켜 준다.

적어도 메르보다 압도적으로 적은 노력으로 불길을 퍼뜨릴 수 있을 것이다.

'장기전으로 넘어가면 상대적으로 체력이 약한 내가 패배할 거야! 그렇다면— 먼저 해치울 수밖에 없어!'

메르는 순식간에 전황을 파악하고 《드래이그 귀버》를 가속시켰다.

가연성 기체를 흩뿌린 후 착화해서 광범위를 불사르는 특수 무장 《용식초열》_{에어리얼 버스터}은 쓸 수 없다.

이미 주위에 불길이 타오르고 있는데 가스를 정제, 방출하면 즉시 폭발하기 때문이다.

게다가 적이 『셸터』 근처에서 싸우는 한 대지를 내부에서 파쇄하는 《지쇄각탄》_{그랜드 버스터}도 쓸 수 없다.

상대의 신장기룡이 《샐러맨더》라는 이유 하나만으로 메르는 자신의 이점을 거의 다 빼앗긴 셈이었다.

"당연히 육탄전으로 절 쓰러뜨리려고 하시겠죠."

할버드를 들고 곧장 육박하는 메르를 보고 네이 루슈는 원을 그리는 궤도로 도약해서 후퇴했다.

불타는 숲속에 숨으면 공중에서도 쉽게 포착할 수 없다.

네이가 시간벌이를 시도한다고 판단하기 무섭게 메르는 적의 도주 루트를 간파하고 신장을 발동했다.

"─《상극의 천리》! 열폭주로 쓰러지라구!"

상대의 신장기룡을 대상으로 고열을 부여한다.

열폭주를 일으켜서 적 기룡의 출력 저하를 유발하는 온도 조작 공격을 받고도 네이 루슈와 《샐러맨더》는 끄떡없었다.

"역시, 열에 대한 내성이 있나 보네. 그 장갑기룡은─."

"당연하지 말입니다. 명색이 불도마뱀인데 불꽃에 타 죽으면 얼마나 웃기겠어요. 다 특수 무장 《불꽃 고치》 덕분이죠."

네이는 《샐러맨더》의 외각에 장착된 열차단 특수 무장의 이름을 밝혔다.

그리고 메르를 요격하기 위해 또 다른 특수 무장인 장창을 들었다.

"《용염극》!"

낙하하면서 할버드를 내려치는 메르와 《드래이그 귀버》. 반면에 지상의 네이 루슈와 《샐러맨더》는 하늘을 향해 창을 찔렀다.

창끝에서 불꽃을 방출하여 시야를 방해하고 메르의 얼굴을 뚫어버릴 작정이었다.

"여자의 얼굴을 태우려고 하다니. 무례하네."

하지만 그 공격은 머리를 보호하는 장갑을 살짝 스치는 데 그쳤고, 메르는 무사히 지상에 내려섰다.

메르는 착지의 충격을 반동 삼아 전방으로 돌진하며 할버드로 네이 루슈에게 일격을 가했다.

"으극?! 어느 틈에 육전형으로…… 변형한 겁니까?!"

낙하 공격은 처음부터 페인트였고, 육전형으로 변형한 후의 공격이 진짜 노림수였다.

희귀한 가변형 신장기룡《드래그 귀버》는 지상과 공중 전투를 자유자재로 전환할 수 있다.

접근하기 전에는 비행형태 쪽이 견제에 유리하지만, 이렇게 작전이 정해지고 나면 육전형 쪽이 월등히 강하다.

"내가 신장이나 특수 무장에만 의존해왔다고 생각했다면 큰 오산이야."

그녀가 최연소 『칠용기성』으로 발탁되고 천재 기룡사라고 불리는 이유.

그것을 증명하려는 것처럼 메르는 전투 기술로 네이를 일방적으로 밀어붙였다.

도약해서 도망치려는《샐러맨더》를 메르는 활주를 구사해서 신속하게 추격했다.

깊은 숲, 그리고 눈이 쌓였다는 악조건을 쉽사리 돌파하는 그 조작 기술에 네이 루슈는 경악하면서 눈을 크게 떴다.

"이런 지형에서, 이런 환경에서, 어떻게 이토록 완벽하게 장갑기룡을 조종할 수 있는 건가요?"

"겨우 이 정도 쌓인 눈에 유미르 교국 출신인 내가 방해받을 리 없잖아?"

특장형 신장기룡《샐러맨더》로는 육전형의 파워를 감당할 수 없다.

은폐 기능을 써서 도망치려고 해도 그럴 틈이 없었다.

할버드에 가격당할 때마다 《샐러맨더》의 장갑과 가동 프레임이 삐걱거렸다.

불길 속으로 뛰어들어 달아나려고 했지만, 메르는 그 즉시 온도 조작 신장으로 주위의 불을 끄고 쫓아왔다.

단기 접근전을 선택한 메르의 판단은 정확했다.

단 하나.

자동인형 네이 루슈와 루 카리아의 책략을 제외하고—.

'실력은 내가 훨씬 뛰어나. 그런데— 왜 못 쓰러뜨리는 거야?! 앞으로 한 발짝인데!'

전력으로 네이를 끝장내려 하던 메르는 위화감을 느끼고 있었다.

네이 루슈는 분명 사력을 다해 맹공을 버티고 있었지만, 메르가 쓰러뜨리지 못하는 이유는 그게 아니었다.

메르가 휘두르는 할버드가 전부 미묘하게 빗나가고 있었다.

'마음만 급해서 공격을 너무 크게 휘두르고 있나? 아냐, 그럴 리는—'

없다. 메르는 그렇게 판단했다.

심지어 네이는 때때로 다른 자동인형— 루 카리아 쪽에도 화염을 방사해서 지원하고 있었다.

자기가 그라이퍼의 발목을 붙잡고 있다고 생각하고 싶지 않았다.

그러나 의지력으로 커버하던 메르의 체력에 한계가 찾아왔다.

"아, 아아……."

기룡의 출력이 급격히 다운되어 도망치면서 싸우는 네이와 《샐러맨더》를 쫓을 수 없게 됐다.

중파된 신장기룡을 두른 네이는 안도한 표정으로 메르를 보았다.

"드디어 결실을 맺은 것 같네요. 우리의 계책이—."

"하아, 하아……."

메르는 밭은 숨을 몰아쉬었다.

조금 전부터 불길에 휩싸인 숲 속에서.

연기나 불똥을 최대한 들이쉬지 않게 주의했지만, 산소 부족까지는 미처 생각하지 못했다.

거센 불길 때문에 일대의 공기가 희박해졌고, 그런 곳에서 몸을 아끼지 않는 공세를 펼친 대가가 몇 배의 체력 소모로 바뀌어서 그녀에게 돌아왔다.

메르는 이산화탄소라는 기체를 몰랐지만, 비행형 신장기룡을 다루는 사람이라면 고도가 높은 곳은 공기가 희박하다는 정도는 익히 알았다.

메르는 그 현상이 자신에게 일어난 것임을 알아차렸다.

'이젠, 이길 수 없어……. 하다못해 크루루시퍼. 당신이 리즈샤르테를 어떻게 해준다면—.'

자신의 패색이 짙음을 깨닫고 메르는 지상에서 고개를 들어올렸다.

희미한 기대를 담은 소녀의 시선은 상공에서 펼쳐지는 혈투에 고정되었다.

"지금이라면 투항을 허하겠다, 크루루시퍼. 제아무리 네가 제 정신이 아니라고 해도, 봐줄 수 있는 여유는 없으니까 말이다."

"그 말을 들으니 안심이 되네. 너랑은 꼭 한번 진심으로 싸워보고 싶었거든."

그라이퍼와 루 카리아.

메르와 네이 루슈가 『셸터』 부근에서 접전을 벌이는 와중에.

신왕국의 주력인 리샤와 룩스 진영에 남은 유일한 전력인 크루루시퍼가 대치하고 있었다.

둘 다 『세례』를 받아 강화되었기 때문에 만전의 상태였다.

그리고 『기사단』으로 활동하며 여러 차례 모의전을 치른 까닭에 서로 어떤 패를 가졌는지도 알았다.

그렇기에 자신의 진가를 확인할 수 있는 기회였다.

지금까지 자기 자신을 어떻게 갈고 닦아왔는지.

그리고 이제부터 어떤 길을 걸어갈 것인지.

"간다, 공주님."

"덤벼라, 크루루시퍼! 널 정신 차리게 해주마!"

그 말이 결투 개시를 알리는 신호탄이었다.

리샤의 신장기룡 《티아마트》와 크루루시퍼의 《파프니르》.

둘 다 원거리 공격과 기동력에 특화된 기체이지만 그 성질은 전혀 다르다.

타앙―!

크루루시퍼가 《프리징 캐논》의 방아쇠를 당겨 저격으로 선제공격을 날렸다. 특수 무장에서 발사된 동결탄은 단 한 발로도 상대의 움직임을 확실하게 봉쇄한다.

리샤는 《레기온》 하나를 방패 삼아 동결탄을 막은 후 나머지 열한 개의 투척 병기로 크루루시퍼를 노렸다.

"《재화의 예지(와이즈 블러드)》!"

크루루시퍼는 즉각 미래 예지의 신장으로 리샤의 노림수를 간파했다. 《파프니르》의 기동성을 최대로 발휘해서 조준이 불가능한 궤도로 크게 회피했다.

"탐색전도 없이 곧바로 예지에 의존하는 거냐?"

"너야말로 끝내버릴 작정으로 공격했으면서 그런 말이 나오니?"

리샤의 도발에 크루루시퍼는 쓴웃음을 지으며 대꾸했다.

미래 예지로 본 것은 리샤가 필살의 연속공격을 펼쳐 자신을 압도하는 모습이었다.

《레기온》의 그늘에 상대의 시야에는 보이지 않는 추가 《레기온》을 숨겨서 발사하는 하이드 샷.

《파프니르》의 자동방어 방패 《용린장순(오토 실드)》으로 막아낸 순간, 신장 《천성(스프레서)》으로 중력장을 생성해서 단숨에 찍어누른다.

그리고 주포 《일곱 개의 용머리(세븐스 헤즈)》를 발사해서 장벽을 뚫고 장갑을 파괴하는 계획이다.

만약 크루루시퍼가 저격을 고집해서 잠시라도 멈춘다면, 그 즉시 리샤의 필살 연계기가 작렬하리라.

그 사실을 거듭 확인하고 경계를 강화했다.

《파프니르》는 강력한 기체이지만, 굳이 따지자면 한순간에 승패를 결정지을 화력이 없는 게 단점이다. 환창기핵을 정확히 저격하거나 동결탄으로 움직임을 봉쇄한 다음 결정타를 가하는 순서를 거쳐야 한다.

'하지만 공주님도 원거리 공격에 익숙해. 상대의 사격을 간파해내는 눈썰미를 가졌지.'

특히 최단, 최속으로 저격하는 크루루시퍼의 습관은 예측당할 가능성이 높다. 물론 단순한 회피 동작이라면 신장으로 예지해서 이동 지점을 저격할 수 있다.

때문에 굳이 자신의 생각을 반영하지 않고 불합리한 패턴으로 끊임없이 움직이는 것이 《파프니르》의 저격을 피하는 방법임을 리샤는 알고 있었다.

크루루시퍼는 그 대책을 격파할 방법도 준비해뒀다.

상대의 패턴을 정확하게 예측하려면 상대에게서 여유를 빼앗으면 된다. 상대가 최선의 패턴밖에 고를 수 없게 됐을 때 《재화의 예지》의 예측이 완성되고, 결말까지의 각본이 준비된다.

'시간은 좀 걸릴지라도 상대의 무기부터 빼앗는 게 중요해.'

그렇게 판단한 크루루시퍼는 피할 거라는 걸 알면서도 통상탄과 동결탄을 섞어 연속해서 저격했다.

반대로 자신을 추적하는 것처럼 날아드는 리샤의 《레기온》을 전부 회피하는 건 성가셨지만, 그에 대한 대책도 세워 놓았다.

"——《동식투사》."
프리징 캐논

크루루시퍼는 자신을 노리고 사출된 《레기온》을 동결탄으로 얼려서 떨어뜨렸다.

나머지 공격은 회피 기동으로 피하고 다시 같은 작업을 반복했다. 물론 《세븐스 헤즈》와 《천성》에 대한 경계도 게을리하지 않았다.

둘, 셋, 넷.

계획대로 열두 기의 투척 병기 중 3분의 1을 떨어뜨린 시점에서, 크루루시퍼는 안도의 한숨을 쉬었다.

그러나 그 직후.

"평소와 똑같은 전략이냐. 발전이 없구나, 크루루시퍼!"

"헉⋯⋯?!"

리샤가 외치는 동시에 광범위하게 신장의 중력장이 전개됐다.

리샤와 크루루시퍼가 어지러이 날아다니던 하늘 전체가 보라색 빛에 뒤덮였다.

'말도 안 돼, 이렇게 넓은 범위에 《천성》을 펼치다니⋯⋯ 하지만—.'

경악하는 동시에 내심 안도했다.

'조바심 때문에 실수했구나. 아무리 전력을 다한다고 해도, 이렇게 범위를 넓히면 중력 부하의 영향도 적을 테지.'

그리고 무엇보다 리샤의 체력이 급격히 소모될 것이다.

설령 무중력 상태가 된다고 해도 대응하는 건 어렵지 않다.

계속 회피에 전념해서 이 상황을 넘긴다면 크루루시퍼는 승리에 부쩍 가까워지게 된다. 그렇게 생각하고 승리를 확신한 찰나, 크루루시퍼는 기묘한 위화감에 사로잡혔다.

"—?! 어째서, 기룡의 움직임이—."

중력장의 영향을 계산에 넣어서 《파프니르》를 상승시켰는데, 예상보다 고도가 낮았다.

당황한 크루루시퍼의 주위를 포위하는 것처럼 남은 여덟 기의 《레기온》이 선회하기 시작했다.

이동을 방해하는 보이지 않는 새장이 만들어졌다.

"너와 모의전을 치를 때 내 모든 패를 보여준 줄 알았느냐?"

이변을 알아차린 크루루시퍼가 움직임을 멈춘 순간, 굉음과 함께 《티아마트》의 주포 《세븐스 헤즈》가 불을 뿜었다.

거대한 한줄기 섬광은 일직선으로 《파프니르》에게 쇄도하여 《오토 실드》째 날려버렸다.

"윽……! 아아악!"

광범위 중력장에 숨겨진 함정을 알아차렸을 때는 이미 늦은 뒤였다.

방패와 장벽이 관통당하고 장갑 일부가 파손됐다.

리샤는 압도적인 파괴력을 지닌 《티아마트》의 진면목을 보여주었다.

†

"뭐야 저게?! 뭐가 어떻게 된 거야?"

"No. 모르겠습니다. 어째서 크루루시퍼 씨가 당한 건지."

"《레기온》으로 포위해서 크루루시퍼 아가씨의 이동을 제한했다는 건 알겠어. 문제는 어째서 그녀가 도망치지 못했는가, 야. 광범위로 전개한 《천성》의 중력 부하에 제대로 대응한 것처럼 보였는데ー."

은색 벽의 스크린에 비치는 영상을 보며 티르파, 녹트, 샤리스는 저마다 당황한 어조로 말했다.

3 대 3 사투의 무대인 『고대의 숲』. 그 지하에 자리 잡은 『대성역』의 휴식 시설 『셸터』에서, 일동은 숨죽이고 싸움을 지켜보고 있었다.

이쪽의 전력은 충분하다고 생각했는데, 뚜껑을 열고보니 세 명 다 열세에 놓여 있었다.

그중에서도 지금 보고 있는 싸움의 양상은 유독 이상했다.

"저도 감이 안 잡혀요. 크루루시퍼 씨처럼 뛰어난 실력자가, 어쩌다 기룡을 잘못 제어한 건지……."

아이리도 당혹스런 모습으로 중얼거렸다.

신장 《천성》에 의한 광범위 중력 부하.

그 안에서 회피하려던 크루루시퍼가 잘못된 위치로 이동하는 바람에 《레기온》에 포위당한 것이 관건이다.

주포ー《세븐스 헤즈》에 직격당한 것은 사소한 결과에 불과하다.

애초에 조금 전 《천성》에 의한 중력 부하는 그녀들이 보기에도 대단치 않은 것 같았다.

그래서 왜 크루루시퍼가 미약한 중력 변화에 대처하지 못했는지 의문스러웠다.

"설마, 기룡에 무슨 문제가―."

불안함이 느껴지는 에이릴의 지적은 지당했다.

모두가 크루루시퍼라는 소녀의 기량을 그만큼 신뢰하고 있었으니까.

"아니요, 에이릴. 당신은 학원에 온 지 얼마 안 됐으니 모르겠지만― 저건 리샤의 트랩이 분명해요."

"……?!"

학원 최강을 자랑하는 세리스가 스크린 너머에서 일어난 사건을 검증했다.

그 한마디에 곁에 있었던 『칠용기성』 로자가 고개를 들었다.

"트랩? 저 금발 여자애…… 리샤 공주는 그저 넓은 범위에 약한 중력장을 전개한 것으로만 보였는데―?"

함정을 설치하려고 해도 다른 무기가 없었을 터다.

『초월장갑』이 있긴 하지만 아직 소환조차 하지 않았다.

"맞습니다. 《천성》 하나로 그렇게 한 것이죠. 유심히 살펴보니 부자연스러운 현상이 눈에 띄더군요."

"부자연스러운, 현상?"

소피스가 앵무새처럼 되묻자 지금까지 입을 다물고 있던― 아니, 기본적으로 과묵한 성격이라 딱히 할 말이 없었던 피르히가 입을 열었다.

"나무, 나뭇잎의 움직임. 범위 안의 나무에서 눈이 떨어지는 기세가, 장소에 따라 달랐어."

"—?!"

피르히가 꺼낸 말에 다들 경악하는 표정으로 말을 잃었다.

오직 세리스 혼자만이 진지한 표정으로 수긍하며 말을 이어나갔다.

"그렇습니다. 리샤는 광범위에 중력장을 생성하면서 영역별로 강약을 조절했을 거예요. 아마 대리석 무늬처럼. 전모를 완벽하게 파악한 건 아니지만, 그래도 평소처럼 움직이려고 하는 사람에게는 충분히 위협적일 겁니다."

특히 거리감이나 기체 각도, 반동 등을 다른 사람보다도 중시하는 저격수 크루루시퍼에게는 장소에 따라 중력의 강도가 다르다는 점은 상상 이상으로 성가신 문제다.

그녀가 정밀하고 섬세한 움직임을 무기로 삼고있다면 더더욱.

전후좌우로 이동할 때마다 중력 부하에 대한 대응을 변경해야만 하니까.

"광범위에 신장을 전개하면 효과가 약해진다는 상식을 거꾸로 이용해서, 크루루시퍼 씨의 움직임을 미세하게 방해하는 용도로만 썼다는 건가요?"

아이리의 지적에 세리스는 고개를 끄덕였다.

그 증거가 주위 나무들에 시각적으로 나타난 중력 부하의 차이이리라.

나뭇잎이 떨리는 기세. 쌓여있던 눈이 떨어지는 속도.

세리스와 피르히는 그것을 보고 무슨 일이 일어났는지 알아차렸다.

'정말 놀라운 사람들이네요……. 겨우 그런 요소만으로, 리샤 님의 함정을 간파해 내다니.'

기룡사의 길을 걷기 시작한 아이리이기에 그게 얼마나 대단한 일인지 알 수 있었다.

이렇게 수수께끼를 풀긴했으나, 그렇다고 당장 대처할 수 있는 것은 아니었다.

그리고 크루루시퍼를 위시한 룩스 진영이 크게 열세로 기울었다는 사실도 변하지 않았다.

†

『대성역』 중추에서 나온 후길은 눈이 내리는 숲 속에서 과거의 환상을 보았다.

"으걱, 구어어……. 꾸어어어악……!"

인간은 아니었다.

아니, 이제는 생물로 분류조차 할 수 없는 괴물이었다.

인간의 부정적인 사념을 마구잡이로 먹어치우는 괴물은, 『성식』과 융합한 라피는 전신이 검게 물든 이형의 존재로 변화했다.

극한까지 부풀어 오른 살의는, 더욱 많은 에너지를 갈구하며 폭주하려 하고 있었다.

"『고대의 숲』 외부에서 움직임이 있군. 사대 귀족의 사병들인가?"

"그런 것 같아요. 가서 처리할까요? 이대로 『성식』에게 먹이를 주지 않으면, 그들까지 집어삼키러 갈 거예요."

자동인형 아샤리아는 후길에게 의향을 물어보았다.

『고대의 숲』 전투가 중단된 지 두 시간.

포식할 대상을 잃은 『성식』은, 이 숲에서 유일하게 진행되고 있는 리샤 일행의 전투 기척에 반응해서 그쪽으로 이동하려고 했다.

어쩌면 다른 쪽, 『고대의 숲』을 관망하던 기룡사 몇 명이 독단적으로 신왕국에 지원군을 요청했을 가능성도 있다.

라피는 사대 귀족의 사병에게 이 전투를 지켜보라고 지시했지만, 이렇게 길어지리라고는 예상하지 못했다.

그래서 세계 개변에 의한 인식의 주박도 풀릴 조짐을 보이고 있었다.

만약 숲 외부에서 대규모 기룡사 부대가 정찰하러 온다면 폭주한 라피는 그들을 모조리 잡아먹고, 종국에는 신왕국 자체를 무너뜨리러 갈 것이다.

그 단계에 이르면 『성식』이 자멸할 때까지 막을 방법은 없다.

"내버려둬. 그것도 운명이니까. 종점에 도달할 때까지 전진하는 『성식』은 막을 수 없어. 그렇게 이번 역사에 끝을 고할 뿐이지."

"……"

자동인형은 그렇게 대답하는 후길을 무감정하게 바라보았다.

『성식』을 저지하는 명령을 내리기 위해서는 일단 『대성역』에 에너지를 집중해야 한다.

하지만 그러려면 한나절에 가까운 시간이 걸린다.

이번 전투에서 자동인형 여럿을 풀파워로 가동한 탓이다.

《우로보로스》의 세계 개변에 필요한 에너지도 마찬가지다.

"리……샤, 나, 의."

『성식』은 무언가를 찾아 굼뜨게 이동했다.

인간 시절의 그녀가 집착했던 딸, 리즈샤르테 곁으로.

지금 막지 않으면, 앞으로 펼쳐질 지옥은 금방 끝나지 않을 것이다.

룩스 일행이 만에 하나라도 현재의 『성식』을 격퇴하지 않는 한.

"이게 네 한계냐? 룩스. 여기서 끝나버리는 것이―"

허공을 향해 내던진 후길의 질문에 대답하는 이는 없었다.

눈보라가 점점 기세를 더해가기 시작했다.

†

"항복해라, 크루루시퍼. 이 이상의 싸움은 무익하다."

체공 중인 리샤는 지상의 크루루시퍼에게 투항을 권고했다.

《세븐스 헤즈》에 직격당한 《파프니르》는 중파되어 원래 성능의 절반도 채 못내는 상태였다.

리샤도 『초월장갑』은 수리 중이라 쓸 수 없었지만, 아직 『세례』를 이용한 비장의 수단이 남아 있었다.

"네게 질 수는 없어. 자기가 무슨 짓을 하는지도 모르는 너에게는……."

"무슨 뜻이지? 넌 아까부터 대체 무슨 말을 하는 것이냐?"

크루루시퍼가 숨을 헐떡이며 꺼낸 말에 리샤는 고개를 갸웃했다.

"아직도 모르겠니? 아니, 알 거야. 세례를 받고 룩스 군과 싸운 너라면, 떠올릴 수 있을 거야. 네가 지금 보고 있는 세계가, 사실은 거짓으로 점철되어 있다는 걸."

"……"

크루루시퍼의 호소를 듣고도 리샤의 표정은 미동조차 하지 않았다.

그저, 자신의 사명을 위해서라면 목숨도 버릴 수 있다는 각오를 드러내고 있을 뿐.

"소용없는 짓이야, 크루루시퍼. 그 정도로 《우로보로스》의 주박이 깨질 리가 없다구……."

네이 루슈가 휘두른 《샐러맨더》의 장창을 피하던 메르가 그 광경을 보고 말했다.

"우리도 아직 반신반의하고 있을 정도인데, 아예 감도 못 잡는 녀석한테 호소해봐야 헛수고라고."

그라이퍼도 루 카리아의 공격에 응전하면서 단언했다.

몇 마디 얘기한 정도로 인식의 주박이 풀린다면 처음부터 룩스가 그렇게 했을 것이다.

하지만 지금의 크루루시퍼에게는 확신이 있었다.

"……거짓이라고?"

《티아마트》를 두르고 체공 중이던 리샤는 크루루시퍼의 말을 곱씹으며 미미하게 눈살을 찌푸렸다.

"그래, 맞아. 너는 믿고 싶지 않았겠지. 네 양어머니인 라피 여왕 폐하가 만악의 근원이라는 걸. 『성식』과 융합해서 자신의 마음을 이용당했고, 그 퍼레이드 이면에서는 거추장스러운 인물들을 암살했다는 것도—"

"뚫린 입이라고 함부로 놀리지 마라! 그 이상 어마마마를 모욕하면 가만두지 않을 것이다!"

리샤가 기공각검을 뽑으며 다시 《레기온》을 사출할 자세를 잡았다.

"모욕? 아니, 이 말을 안 하는 것 자체가 다름 아닌 너에 대한 모욕이야, 리샤 공주. 내 호적수로 인정하고, 친구라고 생각한 너에 대한—"

그 말을 듣고 있던 리샤의 전신이 부들부들 떨리기 시작했다.

크루루시퍼가 무슨 말을 하는 것인지, 무슨 일이 일어나고 있는 것인지 리샤 자신도 몰랐다.

마치 지금의 리샤에게는 허무맹랑하게 들리는 얘기에 몸이 무의식적으로 반응하는 것 같았다.

"너에게 라피 여왕 폐하는 자신과 똑같은 존재였지. 그래서 도와주고 싶다고, 그 고통을 공유하고 강해지고 싶다고 생각했지. 그러니까 지금 일어난 모든 일들이 너에게 있어 믿기 어려운 진실이고, 가혹한 운명이라는 건 잘 알아. 하지만—"

"……닥쳐!"

크루루시퍼의 말을 끊는 것처럼, 여덟 기의 《레기온》이 그 녀에게 날아들었다.

이에 크루루시퍼는 《파프니르》와 함께 상승해서 저격총의 방아쇠를 신속하게 당겼다.

"—극복해야만 하는 벽일 거야! 네가 왕녀임을 자처하겠다면!"

"큭……!"

고속으로 활공하며 저격하는 크루루시퍼.

하지만 리샤는 당연히 《티아마트》의 장벽을 강화해서 방어 태세를 취했다.

그러나— 그 통상탄은 리샤에게 명중하지 않고 스치는 것 처럼 등 뒤로 날아갔다.

'빗나갔잖아? 조작을 잘못한 건가?'

리샤가 그렇게 생각한 다음 순간.

터엉!

"아닛……?!"

매서운 충격이 리샤가 장착한 《티아마트》의 배면 날개에 꽂 혔다.

지금까지 지상의 나무그늘에 가려진 탓에 잘 안보였는데, 위를 올려다보는 크루루시퍼의 얼굴과 피부에는 어느새 기하 학적 문양이 떠올라 있었다.

—《완전결합》.

『열쇠 관리자』만이 사용할 수 있는 기룡과의 융합형태.

나노머신으로 기룡과 육체 일부를 동화해서 더욱 정밀하고 신속하게 움직일 수 있게 된다.

크루루시퍼는 《세븐스 헤즈》에 휩쓸리지 않고 남은 《오토 실드》의 마지막 한 장을 어느 틈에 리샤의 등 뒤에 배치해두었다.

"그런, 건가……!"

크루루시퍼 자신이 급상승하면서 저격총을 겨냥하면, 리샤는 자연히 그쪽에 이목을 집중할 수밖에 없다.

등뒤를 경계하지 않게 유도한 다음 일부러 빗나가게 쏜 탄환을 방패로 도탄시켜서 장벽이 얇은 등을 저격했다.

"알고도 그러는 것이냐, 크루루시퍼! 그 상태의 《파프니르》로 『완전결합』하는 것이 무엇을 의미하는지!"

『완전결합』의 결점은 비단 정신적인 소모가 크다는 것 하나만은 아니다. 장갑과 육체가 융합하는 까닭에 대미지 피드백이 평소보다 훨씬 심해진다.

하물며 지금의 《파프니르》는 장벽을 온전히 펼칠 수 없는데다가 방어 장갑도 반쯤 부서진 상태다.

즉, 가벼운 일격에도 큰 타격을 입을뿐더러 강력한 공격을 받는다면 치명상을 피할 수 없다.

"각오한 바야. 이렇게 해야만 널 이길 수 있다면—."

"이유가 뭐냐? 어째서 너는 그토록 희생적일 수 있는 것이냐! 유미르 교국 출신인 네가!"

《티아마트》의 배면 날개를 피탄당해서 기동력이 저하된 리샤는 다시 《레기온》을 날려서 크루루시퍼를 노렸다.

크루루시퍼는 그 공격을 회피하며 《프리징 캐논》을 연사해서 《레기온》의 잔기를 하나씩 줄여나갔다.

『완전결합』 덕택에 중파된 『파프니르』로도 정확하게 궤도를 읽고 격추할 수 있었다.

하지만— 한계는 순식간에 찾아오리라.

크루루시퍼의 입가에서는 극한의 피로로 인한 하얀 숨결이 새어나왔다.

"널 위해서 이러는 것도, 신왕국을 위해서 이러는 것도 아니야. 너라면 알고 있을 테지. 나와 같은 감정을 가진 너라면!"

이미 체력은 한계를 넘었다.

『완전결합』으로 《파프니르》를 유지할 수 있는 시간도 얼마 남지 않았다.

결사항전.

그 각오로 크루루시퍼는 최후의 도박에 나섰다.

리샤를 인식의 주박으로부터 해방시키기 위해서.

†

"핫, 저 여자…… 여전하구만. 평소에는 실컷 냉정한 척하는 주제에, 이럴 때는 참 뜨겁단 말이지."

크루루시퍼가 남은 힘을 쥐어짜는 모습을 보고 근처에서 싸우고 있던 그라이퍼는 싱긋 웃었다.

예전에 신왕국 왕도에서 그녀와 일대일로 싸웠던 기억이 새삼스레 떠올랐다.

"당신은 군말을 참 많이 하는군요—? 그 반만이라도 제 상대가 되면 좋겠는데."

기계고양이귀를 단 자동인형 루 카리아에게 도발당했지만 반론할 수 없었다.

그라이퍼는 그녀의 신장기룡《케찰코아틀》에 속수무책으로 밀리고 있었다.

'이 녀석은 이 녀석대로 상당히 성가시군. 이렇게 오래싸웠는데, 계속 쓰고있는 게 분명한 신장을 전혀 파악하지 못하다니.'

공격을 하건 방어를 하건 적이 지닌 능력의 일부조차 아직 파악하지 못했다.

마치 유령과 싸우는 듯한 기분이었다.

물론 그라이퍼도 상대의 신장을 밝혀내는 것에만 고집한 것은 아니었다.

하지만 순수하게 힘으로 밀어붙이려고 할 때마다 공격이 모조리 빗나갔다.

아니—『적이 빗나가게 했다』라고 표현하는 게 정확할 것이다.

그 현상은 접근전을 펼칠수록 두드러지게 나타났다.

'도저히 모르겠군. 게다가 메르와 싸우고 있는 다른 자동인형이 자꾸 끼어드는 통에 이 녀석의 비밀을 파악하기가 여간 쉽지 않아.'

마찬가지로 『셸터』 부근에서 싸우고 있는 네이 루슈는《샐러맨더》로 불꽃을 분사해서 수시로 루 카리아를 지원했다.

그래도 그것은 가벼운 견제 수준에 불과하다.

협공이라고 할 정도는 아니다.

그러나 숲에 불이 번지는 바람에 주위의 산소가 희박해져서 간접적으로 그라이퍼도 궁지에 몰렸다.

"적당히 저항을 멈추시는 게 어떨까요—. 원래 여러분이 싸울 이유는 없잖아요—. 그래서 마스터도 안 죽이고 살려두신 건데."

"넌 없다고 생각할지 모르지만, 내게는 있다고!"

그라이퍼는 《테일 블레이드》를 휘두르며 소리쳤다.

그러나 이번에도 칼끝 방향이 살짝 틀어지더니 장갑팔의 팔꿈치 부분에 명중했다.

'역시, 이번에도 빗맞았어…… 대체 왜?!'

기룡이 생성하는 역장 등에 궤도가 틀어져서 빗맞는 것은 아니다.

만약 그렇다면 아예 모든 공격을 빗나가게 할 수 있을 테니까.

적이 무슨 수작을 부리고 있는지는 아직 모른다.

반면에 이 자동인형들은 이미 메르와 그라이퍼의 능력을 꿰고 있다.

비단 신장기룡의 성능만이 아니라 두 사람의 기질까지도.

『—이봐, 아가씨. 내 말 들려? 무사하냐? 네 상대가 자꾸 내 쪽에 불꽃을 뿜어대는 통에 귀찮아 죽겠는데.』

『…….』

그라이퍼는 그제야 처음으로 눈으로 확인할 수 있는 거리에서 싸우고 있는 메르에게 용성 통신을 보냈다.

그런데 메르는 전혀 반응하지 않았다.

『인마, 땅꼬마. 내 말 들리냐니까? 설마 벌써 죽은 건 아니지?』

『시끄러워, 이 닭벼슬! 누구더러 땅꼬마래! 콱 날려버릴까 보다.』

『뭐야, 팔팔하잖아. 그럼 아가씨라고 불렀을 때 대답하든가.』

『아가씨라니, 지금 비꼬는 거야? 그리고 그런 말을 언제 했는데? 난 못 들었다구.』

『─뭐?』

두 사람은 농담을 주고받는 동안에도 전투에 대한 집중력을 끊임없이 유지했다.

그라이퍼가 메르와 대화를 시도한 이유는 혼자 싸우는 것의 한계를 깨달았기 때문이다.

─아니, 깨달았다기보다는 기묘한 위화감을 느꼈다.

'왜 우리가 아직까지 못 이긴건지, 그 비밀이 저 자동인형 두 녀석의 연계에 있는 것 같단 말이지.'

고독한 늑대같은 전투 스타일을 관철해온 그라이퍼는 비록 썩 내켜 하지는 않았으나, 룩스나 다른 『칠용기성』과 함께 싸운 경험 덕에 연계전술이 아예 젬병인 것은 아니다.

비등비등한 실력을 가진 적들이 그의 생각을 바꾸었다.

그리고 지금, 우연히.

메르에게 보낸 용성 통신이 닿지 않았다는 사실이 그라이퍼에게 힌트 하나를 주었다.

『야, 메르. 웬일로 네가 그렇게 쩔쩔맬 때도 다 있구나. 뭐, 문제라도 있냐?』

『쓸데없이…… 말 걸지마……. 이쪽은 공기가 희박해서 숨쉬기 힘드니까…….』

『그럼 바로 물어보겠는데, 혹시 공격이 자꾸 빗나가진 않냐? 그것도 중요한 순간에. 그래서 상대를 아직까지 못 쓰러뜨린거고.』

『……조용히 해. 이번엔 반드시 맞힐 거니까.』

메르는 체력 부족으로 인한 초조함을 감추려는 것처럼 꿋꿋하게 대답했다.

하지만 자신과 같은 상황으로 예상되는 메르의 말을 듣고 그라이퍼의 머릿속에서 어떤 예감이 떠올랐다.

『아하, 역시 너도 그랬군. 추가로 묻겠는데, 얼마나 잦은 빈도로 공격이 빗나갔지?』

『대답하기 싫어…….』

『중요한 문제라고. 그 말투를 보아하니 꽤 자주 빗나갔겠군. ……그래, 그런 술수였나…….』

『무슨 얘기야?』

『아니, 뭐 하나만 부탁하자. 한 번이면 되니까, 내가 상대하고 있는 고양이귀 자동인형을 공격해줘.』

『하아, 하아……. 말이 되는 소릴 해. 나도 죽을 것 같다구.』

메르는 숨이 턱 끝까지 차오른 상태로 《샐러맨더》의 맹공을 버티는 중이었다.

돌파구를 찾지 못한 채로 상황은 악화일로를 걷고 있었다.

『뭣도 모르고 둘 다 당할 판인데 뭐라도 해봐야지. 크루루시퍼 녀석에게 빚을 돌려받아야 할 거 아냐?』

『알았다……구!』

메르가 수긍하며 《드래이그 귀버》를 조작하는 양손에 최후의 힘을 담았다.

그리고 그라이퍼와 거리가 가까워진 순간, 신장을 기동했다.

"《상극의 천리》!"

_{듀얼 시프트}

"─날 노리는 게 아니야! 조심해요, 루 카리아! 《케찰코아틀》의 환창기핵을 노리고 있지 말입니다!"

메르와 맞서던 네이 루슈가 재빨리 소리쳤다.

"……큭!"

장갑에서 솟구치는 신장의 에너지가 공중에서 싸우는 루 카리아의 《케찰코아틀》에 쏟아졌다.

환창기핵 주위를 고온으로 만들어서 열폭주로 출력을 떨어뜨리는 것이 메르의 노림수였는데, 타이밍은 분명 완벽했을 텐데도 어째서인지 명중하지 않았다.

"또, 빗나갔어……. 대체 왜?! 분명 지치긴 했지만, 집중해서 사용한 건데!"

배후에서 루 카리아를 노린 공격이 빗나가버린 메르가 울분을 터뜨렸다.

"아니, **빗나가는 게 당연해.** 그래서 내 공격은 명중한 거고."

하지만 그 순간, 그라이퍼가 루 카리아의 정면에서 휘두른

© Yuichi Murakami

《테일 블레이드》가 호를 그리며 《케찰코아틀》의 배면 날개에 깊이 박혔다.

"어―떻게―?"

추진 장치가 있는 배면 날개가 파괴된 《케찰코아틀》이 급속도로 하강하기 시작했다.

"우린 처음부터 녀석들의 술수에 놀아난 거야. 기룡의 움직임을 불규칙적으로 만드는 신장이라니, 누가 예상이나 했겠냐고. 덕분에 자존심에 줄이 쫙쫙 갔지만."

"……."

그라이퍼의 말에 루 카리아는 아무 대꾸도 하지 않았다.

하지만 정곡이었다. 대신에 근처에 있던 메르가 물었다.

"기룡의 움직임을 불규칙적으로 만든다는 게 무슨 뜻이야? 오작동……이라는 거?"

"비슷하지만 정답은 아니겠지. 우리가 기룡을 육체나 정신으로 조작할 때의 영점을 전체적으로 조금씩 틀어버린 걸거야. 그래서 우리가 정확히 조준할수록 급소에서 빗나가게 된거고."

장갑기룡을 움직이기 위해서 손가락, 발 등으로 레버 및 스위치를 조작했을 때 기계의 반응. 그 시스템 내부의 수치를 미묘하게 조정한 것이다.

사정거리 내의 장갑기룡을 그 영향 하에 두는 신장.

그것이 《케찰코아틀》의 《이끄는 자》의 힘이었다.

그 정체를 파악하지 못하도록 신장을 메르에게도 사용해서 네이 루슈의 전투도 지원했다.

자동인형 두 명이 지하의 『셸터』를 공격하려는 듯 행동하며 서로 일정 거리를 유지하면서 싸운 이유도, 처음부터 보이지 않는 **연계전투**를 펼쳤기 때문이었다.

"그럼, 어째서 방금 당신의 공격은 명중한—"

"그러니까, 일부러 빗나가게 공격한 거라고. 넌 평범하게 급소를 노리게 하고."

메르의 의문에 그라이퍼는 위세 좋게 대답했다.

대놓고 빗나가는 공격을 시도하면 루 카리아는 《이끄는 자》를 발동하지 않을 것이다.

하지만 치명타를 노리지 않으면 상대를 확실하게 처리할 수 없다.

따라서 메르에게 공격을 요청하고, 적이 이에 대응해서 신장을 사용한 찰나를 노린 것이다.

"과연— 이건 확실히, 우리도 풀파워가 아니면 이길 수 없겠네요. 오산이었어요—"

그라이퍼는 《케찰코아틀》의 어깨에 참격을 먹인 후 《테일 블레이드》를 휘감아서 찢어발겼다.

어깨의 환창기핵에 타격을 받은 《케찰코아틀》의 출력이 순식간에 다운되면서 지상으로 추락했다.

"하지만— 저를 쓰러뜨려도 아직 한 명 더 남아있네요—"

"알아. 그래서 이 자세인 거라고."

루 카리아의 방어를 돌파한 대가로 메르는 네이 루슈에게 큰 빈틈을 드러내고 말았다.

"루 카리아가 당했나요……! 그렇다면 저는 이 녀석을 당장 쓰러뜨려서 1 대 1 상황으로 만들어야겠지 말입니다!"

비록 한 명이 당했지만, 그라이퍼와 메르는 더이상 체력이 남아 있지 않았다.

네이 루슈는 메르의 뒤에서 장갑 사이의 틈으로 창을 찔러 죽이려고 했다.

그 순간, 그라이퍼는 메르의 정면에서 등뒤로 신속하게 이동해서 네이 루슈의 앞을 가로막았다.

"……?!"

에너지를 한 점에 집중한 《히트 쏜》의 창날은 상대가 어떤 기룡이든 일격필살의 위력을 발휘한다.

대신 죽으려는건가?

네이 루슈는 그라이퍼의 행동을 보고 한순간 그렇게 생각했지만, 그가 두른 장갑을 뒤덮은 빛이 불꽃의 창을 가볍게 튕겨냈다.

"─이건, 《광자잠행》?!"
^{포톤 다이브}

상대의 공격을 전부 튕겨내는 무적화 신장.

물론 네이 루슈도 익히 아는 능력이다.

하지만 이 전투에서는 아직 한 번도 쓰지 않았기 때문에 무의식중에 경계를 게을리했다.

"일부러 힘을 모으고 있었다고. 이 순간을 위해서 말이지!"

"……하지만 그 정도는 대응할 수 있지말입니다!"

경계심을 늦추기는 했으나 상대의 신장에 대한 정보는 늘 머리한 구석에 간직하고 있다.

메르를 직접 쓰러뜨릴 수는 없게 됐지만, 어차피 그녀는 다 죽어가는 목숨이다.

"그보다도 당신 몸이나 걱정하는 걸 추천하지말입니다. 이제 체력도 한계일 테니까—."

"……."

네이의 지적에 그라이퍼는 침묵했다.

그건 분명히 사실이다.

네이 루슈와 루 카리아. 두 자동인형은 적이 눈치채지 못하도록 협력하며 전투에 임했다.

루 카리아는 《케찰코아틀》의 신장 《이끄는 자》를 써서 수시로 메르의 기룡을 불규칙적으로 조작하며 공격을 막았다. 그리고 네이 루슈는 《샐러맨더》의 불꽃으로 주위의 나무를 태워서 일대의 산소를 줄여 그라이퍼의 체력도 깎았다.

겉으로는 각자도생하는 척하며 뒤로는 팀을 짜서 싸우는 것이 두 자동인형의 전략이었다.

그러므로 그라이퍼는 이제 자신을 쓰러뜨릴 만한 체력이 없다고.

이대로 《광자잠행》의 무적화가 끝날 때까지 방어에 전념하면 이길 수 있다고— 네이는 확신했다.

"하아아앗!"

그런 속내를 아는지 모르는지 그라이퍼는 《테일 블레이드》

로 맹공세를 펼쳤다.

이에 질세라 네이 루슈도 최후의 힘을 쥐어짜 《히트 쏜》으로 공격을 쳐냈다.

'일곱 명이나 있던 자동인형도, 아샤리아 님을 빼면 제가 마지막이지말입니다…….　우리의 충성심을 증명하기 위해서도, 여기서 질 수는 없어요!'

기룡의 급소를 적확하게 노리는 그라이퍼의 공격은 무시무시했다.

네이는 계속 밀리기는 했지만 호락호락하게 쓰러지지 않았다.

《히트 쏜》이 부러지는 와중에도 공격을 버텨냈다.

"이겼어요! 앞으로 몇 초면 《광자잠행》도 끝나지말입니다! 이제 리샤 공주에게 가세하기만 하면—."

현재 주인인 라피의 비원이 이루어진다.

『성식』에게 맡긴, 진정한 주인 아샤리아의 마음도.

그렇게 생각했지만.

"역시 인형답게 시야가 좁구만. 남몰래 협력하던 게 너희뿐이라고 착각하지 마시지."

"—?!"

지금까지 공격에 집중하면서 자신을 한 방향으로 몰아붙이던 그라이퍼의 말에 네이 루슈는 당황스런 표정을 지었다.

"그 괴물을 지키는 게 정말로 너희의 목적이냐? 그게 네 주인의 소망이야? 그렇게 맹목적으로 굴면 보일 것도 안 보이게 된다고. 나도 경험해봐서 알지."

"무슨, 헛소리를 지껄이는 겁니까? 이제 당신의 《쿠엘레브레》로, 절 쓰러뜨릴 방법은—."

"주종의 형태도, 협력의 형태도 한 가지만 있는 건 아냐. 굳이 팍팍하게 대하는 경우가 있으면, 티나지 않게 은근슬쩍 힘을 빌려주는 경우도 있지. 너희는 보고도 못 본 척할 뿐이란 말이다."

"윽—?!"

그라이퍼는 그렇게 말하며 다시 《테일 블레이드》를 힘껏 들었다.

아직 《광자잠행》의 무적화가 지속 중이었기 때문에 네이 루슈는 반사적으로 장창을 들어 방어 자세를 취했다.

하지만 나선 궤도를 그리는 《테일 블레이드》의 일격은 네이와 《샐러맨더》가 아니라 그 뒤에 있는 눈더미에 명중했다.

까아앙—!

날카로운 금속음이 등 뒤에서 울려 퍼지고—.

직후, 어마어마한 폭발이 소리의 중심에서 작렬했다.

—투콰아아앙!

"……아, 크으, 아아악……!"

《샐러맨더》의 배후에서 발생한 파괴 에너지가 장갑을 꿰뚫고 그에 보호받고 있던 네이 루슈의 육신마저 분쇄했다.

신체의 반을 잃어 상반신만 남은 네이 루슈는 눈밭 위를 구르다가 하늘을 올려다본 채 멈췄다.

"무슨 일이…… 일어난 거죠? 대체……!"

그라이퍼가 펼친 공격이 아니라는 것만은 가까스로 파악했다.

그가 가진 유일한 약점은 순간적으로 압도적인 공격력을 발휘할 수 없다는 점이다.

게다가 이 폭발은 그가 보유한 무장이나 신장으로는 절대 실현할 수 없는 공격이었다.

네이 루슈를 내려다보는 그라이퍼의 장갑에서 마침내 무적화 신장이 사라졌다.

"말했잖아? 너희만 협력하던 게 아니라고. 저 땅꼬마의 특수 무장으로 만든 폭탄을 여기에 설치해뒀지."

"……!"

그라이퍼가 내막을 밝힌 직후에 네이 루슈도 이해했다.

메르의 《드래이그 귀버》가 생성하는 포탄—《그랜드 버스터》를 『셸터』와 다소 떨어진 지점의 눈 속에 숨겨둔 것이다.

광범위에 무차별적으로 무지막지한 위력을 발휘하는 《드래이그 귀버》의 특수 무장은 《쿠엘레브레》의 《광자잠행》과 상성이 좋다.

설령 폭발 범위에서 벗어나지 못하더라도 무적화로 버티면 되는 까닭에 적에게 일방적으로 피해를 입힐 수 있다.

하지만 그 전략을 준비하는 낌새를 조금이라도 풍기면 당연히 자동인형들은 경계하며 대처할 터다.

그런 상황을 방지하기 위해 즉흥적으로 눈이 쌓인 환경을 이용해서 전략을 짠 것이었다.

"몰래…… 협력하던 건, 여러분도…… 마찬가지라는, 건가요……. 그『검은 영웅』의 인도로."

점점 동력을 잃어가는 네이 루슈는 띄엄띄엄 말을 자아냈다.

이에 그라이퍼는 살짝 고개를 가로저으며 대답했다.

"딱히 룩스만의 영향인 건 아니라고. 아니, 그 녀석은 부대장— 싱글렌의 유지도 잇고 있지. 우리는 전부 누군가에게 영향을 받으며 강해져 왔어. 너희는 확고한 의지와 신념으로 행동했지만— 이 시대 사람들과 만나서 얻은 것들을 잊어버리고 말았지. 그게 너희의 패인이야."

"잊었, 다. 그렇, 군요……. 제, 기억……."

상반신만 남은 네이 루슈의 눈에서 서서히 빛이 사라진다.

『대성역』의 중추와 접속한 라피가 과거의 기억을 주입한 탓에 네이를 비롯해서 룩스 일행과 함께했던 자동인형들은 기억을 잃고 말았다.

그럼에도 흐릿하게 떠오르는 기억이 있었다.

그 크루루시퍼라는 소녀도, 룩스가 내민 도움의 손길을 붙잡고 절망의 늪에서 기어 올라왔다.

"망설이고, 패배해도, 잊지 않고, 다시 일어서는 것. 그게 진정한, 인간의, 강함이라는 것인가요……. 크루루시퍼 님, 부디, 무사하시길—"

눈발이 흩날리는 잿빛 하늘을 무대로.

일찍이 유미르 교국에서 잠시 함께 있었던 『열쇠 관리자』 소녀가 춤추는 모습을 마지막으로 눈에 담았다.

　자신이 신뢰해 마지않는 주인의 고결한 모습을.

†

　"하아, 하아…… 하아!"

　눈보라가 몰아치는 『고대의 숲』 상공에서 사투가 펼쳐지고 있다.

　중파된 기룡을 두른 크루루시퍼는 미래 예지를 최대로 활용하여 오직 저격만으로 싸우고 있었다.

　남은 힘을 쥐어짜 정밀사격으로 리샤의 발을 묶었다.

　한편 리샤도 승패를 결정하기 위해 《천성》과 《레기온》을 구사하여 크루루시퍼를 몰아붙였다.

　크루루시퍼가 중력장을 피하면 《레기온》을 명중시켜 장갑을 깎아냈다.

　동시에 세심한 주의를 기울여 그녀의 반격을 피했다.

　미래 예지를 구사한 저격은 완벽하게 피할 수 없기 때문에 치명적인 대미지를 받지 않는 것을 목표로 외줄타기 같은 전투를 계속했다.

　두 명의 자동인형— 네이 루슈와 루 카리아는 그라이퍼와 메르에게 패배했다.

　하지만 가까스로 승리한 『칠용기성』 두 명도 만신창이.

　더 이상 장갑을 유지할 수 없는 상태라 『셸터』로 퇴각했다고,

아이리가 《드레이크》로 통신을 보내 크루루시퍼에게 알렸다.

그리고— 지금.

『완전결합』으로 《파프니르》와 부분 융합한 크루루시퍼는 리샤와 결사의 공방을 벌이는 중이었다.

여기서 리샤를 쓰러뜨리고 제정신으로 돌려놓지 못하면 룩스 일행 모두의 패배가 된다.

'하지만, 이젠 한계야. 『완전결합』은 앞으로 1분도 유지할 수 없어.'

리샤는 축적한 에너지를 연소해서 능력을 강화하는 『세례』의 힘을 발동 중이다.

크루루시퍼가 받은 『세례』의 힘은 기룡과 일체화했을 때의 효율을 더욱 높여주는 것이었지만, 그 능력을 발휘하기에는 이미 너무 많은 타격을 입었다.

무엇보다도 라피와 신왕국을 지키겠다고 굳게 각오한 리샤의 의지에 밀리고 있었다.

『셸터』로 돌아온 그라이퍼, 메르와 함께 일동은 조마조마한 마음으로 전투의 향방을 주시했다.

어떻게 보더라도 크루루시퍼의 패색이 짙었다.

그리고 옆의 치료실에서 회복 중인 룩스도 이 싸움을 보고 있었지만, 어째서인지 투지가 솟아오르지 않았다.

크루루시퍼를, 모두를 지켜줘야 하는데.

머리로는 똑똑히 아는데도 몸이 움직이지 않았다.

'내가 대체 왜 이러는 걸까. 이렇게 중요한 때에—.'

어둑한 방에서 홀로 끊임없이 생각해봤지만, 아직도 답을 찾지 못했다.

"루우. 들어갈게?"

그때, 룩스와 가장 인연이 깊은 소녀가 방에 들어왔다.

"……."

흔치 않은 일이다.

룩스는 그렇게 생각했다.

피르히는 이런 때라 해도 룩스를 질타하는 타입은 아니라고 생각했기 때문이다.

'아니, 이것도 건방진 생각이겠지……. 자기 자신조차 잘 모르는 주제에…….'

장의 차림의 룩스는 치료용 포드 안에서 침묵을 고수했다.

눈앞의 은색 벽에는 리샤와 크루루시퍼가 싸우는 모습이 비치고 있었지만 움직일 수 없었다.

"아까는, 나를, 구해줘서, 고마워."

"……."

피르히는 입가에 엷은 미소를 머금고 평소처럼 느릿하고 멍한 어조로 말했다.

그녀는 룩스의 등을 떠밀어서 전장으로 내보내려고 온 게 아니었다.

하지만 룩스는 이번에도 대답하지 않았다.

"리샤 님. 아직 싸우고 있어. 소중한 걸 지키기 위해서, 분명 필사적일 거야."

"……피이. 나는—."

자신의 마음속에 생겨난 약함.

뭐가 잘못됐는지 자신이 받은 『세례』의 힘을 쓸 수 없어서 리샤를 막지 못했다는 심경을 토로하려고 했다가 참았다.

룩스는 그런 연약하고 어설픈 마음가짐으로 신왕국에 선전포고한 것이 아니다.

아르마와 에이릴. 아이리와 『칠용기성』. 그리고 지금은 신왕국의 모두를 이끌고 이렇게 싸움에 임하고 있다.

그리고 마침내 라피가 『성식』으로 폭주하기 시작했다는 소식도 들었다.

그런 의미에서, 라피를 남몰래 쓰러뜨리려 했던 룩스의 판단은 틀리지 않았다.

룩스 자신이 죄를 뒤집어씀으로써 세상에는 평화가 찾아왔을 테니까.

이게 최선이었다.

실제로 잘 되어가고 있었다.

그런데— 어째서 리샤를 막지 못한 것일까.

그녀의 마음을, 라피 여왕에 대한 가족의 정을 잘라버리는 것에 망설임을 느낀 것일까?

『무의미하단 말이다. 룩스. 자신의 의지로 「악」을 실천할 각오를 하지 않은 자 따위는, 아무도 희생시키지 못하는 자 따위는, 그 얼마나 강대한 힘을 지닌들 아무런 의미가 없다. 그래서 너는 **최약**인 거다.』

 그렇다면— 역시 후길의 말대로다.

 아무리 강한 힘을, 뛰어난 기술을 지닌다고 해도 자신은 그것을 활용할 수 있는 그릇이 아니었다.

 자격이 없었다.

 역시 자신은 최약의, 기룡사였던 것이다.

 "나로선, 무리였던 거야……. 내 힘으로, 나라를 구할 생각을 하다니. 결국, 그 힘조차, 쓰지 못한 주제에."

 그 누구보다도 신뢰하는 소꿉친구이니까.

 자신의 약한 면을 잘 아는 그녀이니까, 룩스는 속내를 털어놓았다.

 그 모습을 보고 그녀는— 피르히는 화내지 않았다.

 슬퍼하지 않았다.

 어이없어하지도 않았고, 실망한 티를 내지도 않았다.

 그저 치료 포드에 들어간 룩스 곁으로 다가와 지켜보았다.

 은색 벽에 비친 지상의 싸움을.

 크루루시퍼가 사력을 다하여 리샤에게 호소하는 모습을.

 그리고 그녀는 속삭였다.

 "루우가 싸우지 못한 이유. 공주님을 상대로 전력을 다하지 못한 이유. 왠지 모르게, 알 것 같아."

 "……그건, 내가 약하니까……."

자신의 마음을 제어하지 못해서 『세례』의 힘을 해방하는 데
실패했으니까.

그렇게 생각한 룩스의 대답을 피르히는 부정했다.

"아니야, 루우."

피르히는 입가에 작은 미소를 그리며 옆에서 속삭였다.

"깨닫지 못해서 그런 거야. 진짜 마음을. 그러니까, 마주 봐
야 해."

"그건, 무슨—."

"보면, 알 수 있어."

피르히에게 이끌리듯이 룩스도 은색 벽의 스크린을 보았다.

그곳에서는 크루루시퍼가 남은 힘을 모조리 쥐어짜 마지막
공격에 나서는 모습이 비치고 있었다.

†

"—《재화의 예지 · 형안》."

<small>와이즈 블러드 액셀</small>

크루루시퍼와 부분적으로 일체화한 《파프니르》가 눈부신
신장의 빛을 해방한다.

동시에 크루루시퍼의 눈에는 승리로 향하는 미래 예지가
비쳤다.

그러나 필살의 신장을 바로 앞에서 목격하고도 리샤는 동
요하지 않았다.

"이 상황에서는 아무 위협도 안된다고! 네 수중의 패 정도

는 훤히 알고 있으니까! —《천성^{스프레서}》!"

리샤가 기공각검을 뽑으며 소리치는 동시에 《티아마트》의 신장을 발동했다.

아까처럼 주변 일대에 불규칙적인 중력장을 형성해서 크루루시퍼의 계산에 오차를 유발했다.

'그렇게 나올 줄 알았어……!'

『완전결합』상태에서 쓰는 《재화의 예지·형안》은 분명 강력한 신장이긴 하지만 운명을 바꾸지는 못한다.

상대의 행동만이 아니라 자신에게 가능한 선택지까지 포함해서 미래를 예지하여 승리로 이어지는 길을 대단히 높은 정밀도로 읽어낼 뿐이다.

따라서 상대가 강하고 크루루시퍼의 여력이 없으면 공격의 선택지가 제한된다.

승리로 이어지는 미래를 도출하지 못할 때도 종종 있는 편이다.

그래서 리샤는 이 상황에서는 위협이 아니라고 판단했다.

그녀는 『셸터』에서 회복 중인 기룡사들이 복귀하기 전에 끝내기 위해서 마침내 승부수를 던지려고 할 터였다.

'나는 압도적으로 불리하고, 그녀는 이미 승리로 향하는 흐름을 보고 있어.'

그렇기 때문에 틈이 있다.

이제는 《파프니르》의 성능을 십분 활용한 전광석화처럼 높은 기동력은 발휘할 수 없다.

정밀사격도 위력이 부족하다.

그래도 이길 기회는 존재했다.

크루루시퍼는 중력장의 파도를 누비면서 《레기온》을 피하고 리샤 주위를 날아다녔다.

리샤 자신조차 다 파악하지 못한 불규칙적인 중력장을 《재화의 예지·형안》으로 분석하고 답을 이끌어내 공략했다.

"룩스 군, 듣고 있니? 응원하고 있으려나? 그녀는 내가 꼭 막아낼 거야. 반드시 진짜 모습으로 돌려놓을 거야. 거짓된 인식으로부터 해방시켜줄 거야!"

"진짜 모습이라고? 이상한 건 너희들이다! 어째서 신왕국을 배신했느냐! 어째서 어마마마를 노렸느냐 말이다!"

"너는, 참 약하구나. 그런 사람에게는 룩스 군을 맡길 수 없어."

"큭―?! 헛소리 집어치우지 못할까!"

크루루시퍼는 《티아마트》를 중심으로 선회 비행하며 저격으로 《레기온》을 튕겨내고 리샤를 노렸다.

하지만 리샤도 조금씩 이동하며 《파프니르》의 저격총이 노리는 저격 라인에서 벗어났다.

남아있는 모든 힘을 쏟아 부은, 원거리 저격 승부.

그 상황이 1분도 유지되지 않는다는 건 알고 있다.

상하좌우에서 쏟아지는 《티아마트》의 공격을 《레기온》을 피하고, 《천성》의 광범위 중력장을 《재화의 예지》로 간파하며 요격한다.

하지만 전부 다 피하지는 못했다.

중파된 《파프니르》의 성능으로는 『완전결합』 상태로도 리샤의 《티아마트》에 밀렸다.

남은 장벽과 장갑이 서서히 깎여 나가고, 그 피드백으로 인한 대미지가 더욱 무겁게 짓누른다.

크루루시퍼는 그런 고난 속에서도 포기하지 않고 리샤에게 호소했다.

한편으로 리샤는 계속 우세를 점하고 있음에도 결정타를 가하지 못하는 답답함과 기묘한 초조함에 시달리고 있었다.

인식을 개변하는 주박.

리샤가 바라는 현실과 다른 광경에서 생겨나는 위화감.

의식 한구석에서는 또 다른 리샤가 자신을 다그치고 있었다.

『네 양어머니는— 괴물이야.』

—아니야.

『자신의 친오빠를 팔아넘긴 죄를 폭로당할지도 모른다는 공포에 절망하여 『성식』을 불러들였고, 기생당한 끝에 마물로 전락했지. 그리고 죄로 물든 더러운 손으로 이 나라를 지배하고자 했어.』

—아니야.

『이젠 양어머니를 구할 수단은 없어. 너도, 그 누구도 구할 수 없지. 폭주하기 전에 네 손으로 죽일 수밖에 없어.』

—아니야.

『다들 그걸 바라고 있어. 너는 왕녀로서 사명을 다해야만
해! 네 편은 아무도 없어. 너와 양어머니를 구해줄 사람은 없
어. 네 기사마저도, 네 적이라고!』

"—아니야!"

머릿속에서 들리기 시작한 자신의 목소리를 떨쳐내려는 것
처럼, 리샤는 뽑아든 기공각검을 힘껏 쳐들었다.

광범위에 펼쳐진 《천성》을 해제하고 이번에는 주포 《세븐스
헤즈》에 에너지를 집중했다.

"—?! 저건!"

지금까지 극한의 상태에서 싸워 온 크루루시퍼는 리샤의
행동을 보고 숨을 삼켰다.

과거에 헤이즈를 쓰러뜨릴 때 사용했던 《천성》의 중력구.

접촉한 모든 것을 집어삼키고 압축해서 쓰러뜨리는 리샤 최
대의 필살기다.

연달아 사용한 《재화의 예지》의 효과가 끝난 순간에, 크루
루시퍼는 알아차렸다.

지금 이 순간을 놓치면 리샤를 쓰러뜨릴 기회가 없음을.

'실패하면, 이번에야말로 확실하게 죽겠지. —그래도, 할 수
밖에 없어!'

크루루시퍼는 피로와 고통을 이를 악물고 참으며 리샤를
향해 날아올랐다.

최종 공방의 시작이었다.

†

"크루루시퍼 씨, 그런 무모한 짓을……!"

포드에서 나온 룩스는 물먹은 솜처럼 무거운 몸을 이끌고 일어나 기공각검을 쥐었다.

회복하는 동안 《바하무트》는 그럭저럭 움직일 수 있는 수준까지는 수리해두었다.

그런데 곁에 있던 피르히가 어째서인지 룩스의 손을 붙잡으며 제지했다.

"피이?! 왜 막는 거야? 얼른 안 가면 크루루시퍼 씨가……! 지금 기룡을 쓸 수 있는 사람은 나뿐이야!"

"반응이 없어. 그 기공각검. 아직, 마음의 준비가 안됐어. 그래서, 안 움직이는 거야."

늘 과묵한 피르히가 드물게도 길게 말하며 룩스를 설득했다.

그 말대로 칼자루의 스위치를 눌러도 기룡은 반응하지 않았다.

'체력은 충분히 회복됐을 텐데, 어째서—'

다시 말해, 정신조작이 불가능한 상태였다.

육체에 깃든 『세례』의 해방만이 아니라 기룡 소환조차 할 수 없게 되었다는 뜻인가?

대체 자신의 몸에 무슨 일이 일어난 것일까?

"루우는, 싸우고 싶지 않은 거야. 그래서, 기룡이 안 움직이는 거야. 그 마음을 깨달아야만 해. 다른 누구도 아닌, 루우 자신이."

"—?!"

피르히의 말을 듣고 무언가 번뜩 떠오르는 것 같았다.

"그러니까, 솔직하게, 마음을 전하지 않으면, 안 돼."

소꿉친구의 눈동자에는 강한 빛이 깃들어 있었다.

"이 싸움에 대한…… 내, 마음……."

어째서 자신이 싸울 수 없게 된 것인지, 지금 가장 먼저 무엇을 해야만 하는 것인지.

은색 벽에 비친 싸움을 보면서, 룩스는 기공각검을 힘껏 쥐었다.

†

"—약하다고? 내가?!"

"그래, 약해. 넌 현실을 외면하고 있을 뿐이야. 네 양어머니인 라피 여왕 폐하에게서 눈을 돌리고, 지금도 몽상으로 도망치고 있지."

리샤는 공중에 떠서 기공각검을 휘둘러 《레기온》을 폭풍처럼 고속으로 움직였다.

크루루시퍼는 그에 대한 대처로 철저하게 회피에 전념하며 투척 병기를 하나씩 격추했다.

"말도 안 되는 소리를 지껄이는군! 내가 어마마마를 버릴

© Yuichi Murakami

리가 없잖으냐!"

"아니. 아무리 괴롭더라도 너는 현실을 직시해야만 해. 그렇게 하지 않으면 앞으로 나아갈 수 없어! 이 세상이 끝나게 된다구!"

크루루시퍼는 조금씩 접근했다.

《오토 실드》의 마지막 한 장으로 도탄 사격을 구사하여 《티아마트》의 팔 부분에 통상탄을 명중시켰다.

"큭……?!"

기체가 중심을 잃자 리샤는 자세를 바로잡기 위해 의식을 그쪽으로 살짝 돌렸다.

크루루시퍼는 남은 힘을 그러모아 《재화의 예지》를 기동했다.

그 직후에 크루루시퍼는 리샤를 조준, 미래 예지를 통한 저격에 성공― 했다고 생각했다.

"아……!"

리샤와 《티아마트》의 배후에 설치해둔 《오토 실드》로 도탄시켜 배면 날개를 노렸지만, 직후에 그 탄환이 빗나갔다.

《세븐스 헤즈》의 포구에서 발사된 중력구가 크루루시퍼가 보고 있는 시야 자체를 왜곡하고 있었다.

주변 공간마저 비틀어 크루루시퍼의 공격을 피한 것이었다.

"―큭! 나는 어마마마를 버리지 않을 것이다! 물러나라, 크루루시퍼!"

리샤는 눈물을 흘리며 소리쳤다.

아래로 쏘아낸 중력구는 그대로 지하에 자리잡은 『셸터』도

스쳐 지나가며 파괴하리라.

그러나 크루루시퍼는 중력구를 피하지 않고 두 팔을 벌리며 자리를 지켰다.

『셸터』에 가해질 충격을 조금이라도 완화하기 위해, 꺼지기 직전의 장벽을 펼치고 막을 작정이었다.

"제법이네. 네 승리야─. 이번에는, 말이지."

"크루루시퍼⋯⋯?!"

필살의 포격을 쏘아낸 리샤의 눈이 놀라움으로 활짝 열렸다.

천천히 떨어지는 보라색 중력구가 앞으로 몇 초안에 명중하려는 순간─.

마치 주위의 시간이, 멈춘듯한 착각이 들었다.

"─《폭식》!"
리로드 온 파이어

아니.

시간은 멈추지 않았다.

그저 수십 분의 1초에 달하는 속도로 느려져서 극히 완만하게 흐르고 있을 뿐.

『셸터』 상공에 떠있는 리샤와 《티아마트》.

그리고 《티아마트》가 발사한 중력구만이 정지했다.

"─이건?!"

생각마저 정지한 세계 속에서, 리샤는 그 모습을 보았다.

지금까지 룩스를 닮은 타인으로 인식했던 모습이 이제는 또렷하게 보였다.

　—『검은 영웅』.

　7년 전, 리샤를 간접적으로 구한 영웅이자 그녀가 가장 신뢰하는 소년.

　룩스 아카디아가 눈앞에 나타났다.

　"걱정끼쳐서 미안해, 크루루시퍼 씨."

　"……걱정한 적 없어. 네가 오리라는 걸, 알고 있었는걸."

　룩스는 『완전결합』을 연속해서 사용한 피로 탓에 한계를 맞이하여 장갑이 해제된 크루루시퍼를 공중에서 안아 들었다.

　그대로 옆으로 신속하게 날아가 중력구의 인력을 뿌리쳤다.

　"《파프니르》의 미래 예지 신장으로 본 거야?"

　"아니."

　크루루시퍼는 초탈한 표정으로 미소 지으며 그 질문에 답했다.

　"너라면 반드시 올 거라고, 믿고 있었어."

　"……."

　룩스가 진지한 눈길로 바라보자 크루루시퍼는 그제야 긴장이 탁 풀리는 것을 느꼈다.

　그리고 그녀는 살짝 눈을 감은 채, 입술을 달싹거리며 말을 자아냈다.

　"자신의 마음을…… 알아차렸구나. 그럼, 가서 전하고 와. 너라면— 할 수 있을 거야."

"─응."

크루루시퍼도 잃어버린 퍼레이드 당시의 기억을 되찾았다.

그렇다면 룩스와 맺어진 것도 기억하고 있을 것이다.

그녀는 룩스가 괴로워하는 이유를 알고 있었다.

그리고 룩스가 그것을 깨닫게 해주기 위해서 싸웠다.

"……고마워, 크루루시퍼 씨."

룩스가 고개를 끄덕인 직후, 《폭식》으로 감속되었던 중력구가 반대로 십여 배의 속도로 가속했다.

다행히 『셸터』에 있던 이들은 한발 먼저 대피했지만, 운석처럼 낙하한 《천성》의 중력구가 시설을 처참하게 파괴했다.

"으……! 무슨 위력이……!"

『셸터』에서 탈출한 아이리가 조금 떨어진 위치에서 경악하며 소리쳤다.

『세례』의 힘으로 에너지를 연소하는 리샤는 아직 체력을 유지하는 중이었다.

"오빠─ 조심하세요! 지금 리샤 님은……."

"응, 알고 있어."

룩스는 일단 지상으로 내려와 힘이 다한 크루루시퍼를 아이리에게 맡겼다.

그리고 상공에 멈춰 서서 《세븐스 헤즈》로 이쪽을 겨냥한 리샤를 향해, 룩스는 일직선으로 날아올랐다.

리샤가 현재 최대의 적이라는 것.

그 사실을 받아들였음에도, 룩스는 승리를 확신했다.

『관』에 들어가서 얻은 새로운 『세례』의 힘. 그것을 발휘하기 위해 정신을 집중했다.

†

'―대체 왜, 왜 룩스가 여기 있지? 왜 저 녀석이, 내 앞을 막아서는 거야?!'

『창궁사단』을 섬멸하는 것이 목표인 리샤의 의식이 어두운 심연 속으로 떨어진다.

눈앞의 적이 룩스라는 사실은 확인했다.

하지만 마음이 그것을 인정하지 않았다.

'어마마마와, 룩스와 약속했다. 신왕국은 우리가 지키겠다고……!'

그렇게 맹세했다.

그러나 정신을 차리고 보니 다들 자신의 적으로 돌아섰다.

신왕국을, 라피 여왕을 쓰러뜨리려 하고 있다.

동료였을 터인 『기사단』 멤버들도, 『칠용기성』도―.

'나는, 버리지 않을 것이다. 어마마마를, 절대로!'

7년 전, 어린 자신은 무력했다.

그 누구의 탓이 아닌, 운명의 장난 때문에 리샤는 구제국군에 사로잡혔고, 아버지에게 버림받았다.

의지할 사람은 없었다.

자신을 구해줄 사람은 없었다.

같은 처지였던 라피는 리샤에게 죄를 고백했다.

자신이 과거에 웨이블러라는 구제국 스파이에게 속아 그를 지키기 위해 오빠인 아티스마타 백작의 은신처를 알려주었다는 것을.

오빠를 배신하고, 혁명을 이룩한 영걸을 죽인 죄인이라는 것을.

그 죄의식에 시달리고, 두려움에 떨면서도 신왕국을 지키기 위해 싸웠다는 것을.

'나도, 나도 똑같아……!'

아버지를 배신한 증거로 구제국의 낙인이 배에 찍혔다.

살아남기 위해 그 길을 선택할 수밖에 없는 괴로움을, 운명에 농락당하여 왕족으로 사는 길을 선택할 수밖에 없는 괴로움을, 리샤는 그 누구보다도 잘 이해했다.

'내가 버린다면, 어마마마는— 어떻게 되지? 아무도 없어. 버팀목이 되어줄 사람이 아무도 없다고! 그러니까……!'

토해낸 하얀 입김이 연기처럼 자리에서 맴돌았다.

몸이 타오르는 듯이 뜨거웠다.

『세례』로 얻은 능력.

축적한 에너지를 단숨에 연소하는 능력으로, 리샤는 지금 풀파워를 지속하고 있다.

자신의 열기를, 의지를 전부 부딪치는 것처럼, 리샤는 《티아마트》를 완벽하게 다뤄냈다.

다가오는 『적』을 향해 그 힘을 해방했다.

"나는 지지 않을 것이다! 어마마마와 만들어나갈 신왕국을 기필코 지켜내리라!"

크루루시퍼와 싸우면서 심하게 손상된 《레기온》 여덟 기가 접근하는 룩스에게 엄습했다.

"⋯⋯?!"

하지만 방어하기 위해 룩스가 신속하게 대검을 휘두른 순간, 그 투척 병기는 멋대로 빗나가며 멀어졌다.

"⋯⋯저건, 설마?!"

"응. 일부러, 빗나가게 했어."

지상으로 나온 세리스와 피르히가 공중에서 펼쳐지는 전투를 보며 중얼거렸다.

제아무리 뛰어난 실력자라 해도 먼저 공격당하면 방어 자세를 잡게 된다.

명중을 노리면 오히려 상대방이 검으로 받아칠 가능성이 있다.

하이드 샷이라는 고등기술을 구사하는 리샤라면 더욱 그렇다.

따라서 룩스의 움직임을 단 한순간 경직시키기 위해서 《레기온》으로 견제를 시도했다.

다시 중력구를 쏘기 위한 시간을 벌기 위해서.

"—멈추지 마!"

"오빠, 서둘러!"

그라이퍼와 메르가 리샤의 전략을 알아차리고 소리쳤다.

룩스는 그 목소리에 등을 떠밀린 것처럼 리샤를 향해 상승했다.

지근거리에서 중력구가 해방되면, 설령 시간을 감속한다 해도 인력에 끌려 들어가 초월적인 밀도의 역장에 짓눌리게 된다.

그럴지라도 이 상황에서 회피한다는 선택지는 없었다.

조금 전에 룩스가 맞지 않도록 사출한 여덟 기의 《레기온》이 이미 《바하무트》 후방에서 포위하려는 것처럼 육박하고 있었다.

"룩스 군의 도주 경로를 차단하기 위해서 쏜 거였나⋯⋯!"

지상에서 두 사람의 싸움을 올려다보던 샤리스가 감탄하며 중얼거렸다.

견제를 통해서 룩스의 움직임을 제한하는 동시에 다음 공격을 쉽게 피할 수 없게 하려는 의도도 포함되어 있었다.

"Yes. 리샤 님도, 진심으로 룩스 씨를 쓰러뜨릴 생각이시군요."

냉정한 녹트가 상황을 지켜보며 분석하자 옆에 있던 티르파도 불안한 듯이 몸을 떨었다.

"정말로, 둘 다 무사한 채로 끝낼 수 있긴 한 거야?!"

트라이어드는 아직 《우로보로스》의 주박에서 풀려나지 않았다.

여러 동료들의 설득에 반신반의하면서 『창궁사단』 쪽에 붙었을 뿐이다.

그래서 불안도 컸다.

하지만 이제는 말릴 수 있는 상황이 아니었다.

"이걸로 끝내주마! 신왕국의 평화를 어지럽히는 적이여!"

룩스를 사정거리 안에 포착한 리샤가 《세븐스 헤즈》의 조준을 고정했다.

그리고 《바하무트》의 배후 여덟 방향은 《레기온》이 차단하고 있었다.

이제는 《폭식》만으로 모든 공격을 회피하는 것은 불가능하다.

『─리샤 님. 들어주세요.』

그러나─ 그 찰나.

절체절명의 상황에서 룩스는 리샤에게 용성으로 메시지를 보냈다.

『저는, 당신께 사과해야만 해요.』

고작 몇 초도 안 되는 시간이, 어째서인지 서로에게는 영겁처럼 느껴졌다.

"……윽?! 이제와서 사과하겠다니, 웃기지 마라! 신왕국을 배신한 놈들이 무슨 말을 하는 것이냐?!"

리샤는 귀에 익은 룩스의 목소리에 흔들릴 뻔했던 마음을 분노로 덧칠했다.

이성을 감정으로 부정했다.

눈앞의 이 남자가 진짜 룩스일 리가 없다고.

설령 만에 하나 그게 사실이라면.

만약 자신이 신뢰하는 소년이 양어머니를 쓰러뜨리려고 한다면.

이제 리샤가 바라던 이상은 이룰 수 없게 되니까.

룩스와 라피와 리샤. 이렇게 셋이 손잡고 지키려고 한 신왕국은 그 어디에도 없게 되니까—.

『저는, 무서웠어요. 이 싸움을 시작했을 때부터. 리샤 님께서 진실을 알게 되면 어떤 일이 일어날지. 제가 나아갈 길을 밝히면 당신이 절 어떻게 생각할지, 너무나도 무서워서 견딜 수가 없었죠.』

"—?!"

룩스는 말을 이어 나가며 뒤에서 엄습하는 《레기온》여덟 기를 모조리 떨어뜨렸다.

뒤로 돌아서지도, 쳐다보지도 않고 펼친 그 절기에 리샤, 그리고 밑에서 싸움을 지켜보던 일동이 경악하며 눈을 부릅떴다.

그건 지금까지 리샤가 알던 룩스가 아니었다.

특수 무장 《링커 펄스》로 《바하무트》뒤에서 날아오는 《레기온》의 궤도를 조작, 한 곳에 모으는 동시에 신속제어로 단칼에 베었다.

"너는…… 대체?"

원래 룩스는 오의를 쓰는 동안에는 거기에 집중력을 할애하느라 다른 특수 무장을 병용하지 못했다.

그러나 지금의 룩스는 조율을 사용해서 미리 《링커 펄스》를 입력한 다음 실행시켰다.

그래서 신속제어 조작에 집중하는 와중에도 《링커 펄스》를 동시에 구사할 수 있었던 것이다.

'하지만, 잠깐 사이에 그런 복잡한 계산을 할 수 있을까……?'

그것은 리샤가 지금까지 본 적 없는 모습이었다.

"사실, 계속 무서웠어요. 라피 여왕 폐하께 『성식』이 기생했다는 사실을, 당신에게 밝히는 게 무서웠어요."

간격을 좁힌 룩스는 용성이 아닌 육성으로 말했다.

룩스가 자신의 육체에 부여한 『세례』는 사고 속도와 집중력의 압축강화다.

자신이 가진 최대의 장점인 간파 능력을 활용해서 상대의 행동을 읽어내고, 최선의 요격 수단을 선택.

조율의 선행 입력 기능으로 《바하무트》에 명령을 내리면서, 자기 자신은 조작 집중력을 오의에 할애했다.

이로써 오의와 신장, 또는 특수 무장을 병용할 수 있게 됐다.

비록 다른 소녀들처럼 장기간 운용은 불가능하지만—.

후길 수준까지는 아니더라도 모든 힘을 끌어낸 싱글렌의 영역에 육박했다.

"큭……?! 닥쳐라! 날 속이려는 거냐?! 너는 룩스가—!"

그래도 리샤는 계속해서 현실을 부정했다.

자신을 일깨우려 하는 목소리에 저항하며, 남은 힘을 쥐어짜냈다.

"—하아아앗……!"

《세븐스 헤즈》에 모인 신장의 에너지를 해방하여 거대한 중력구를 룩스에게 발사했다.

하지만 동시에.

아니, 그것보다 아주 약간 빠르게, 룩스는 조율로 강화한 고출력 신장을 해방했다.

"—《폭식》."

"아닛?!"

리샤의 필살기—《세븐스 헤즈》에서 사출된 중력구는 일단 발사된 뒤에는 범위에서 벗어나는 것 외에는 살아남을 방법이 없다.

즉, 근거리에서는 공방일체의 성능을 갖춘 공격이라 할 수 있는데, 룩스는 오히려 더욱 가속하며 중력구 중심으로 비행했다.

그리고 막강한 인력을 발휘하는 역장을 그대로 돌파했다.

"—!"

슈콱!

리샤가 상황을 파악하고 숨을 삼킨 직후. 룩스는 대검 끝을 《티아마트》의 어깨에 박아 넣었다.

반사적으로 몸을 비틀어 직격을 피한 리샤를 그대로 밀어붙이며 날았다.

"저건, 대체—."

"무슨 수로, 저 초중력 역장을 빠져나간 거죠?"

밑에서 싸움을 지켜보던 아이리와 녹트가 멍하니 중얼거렸다.

그 옆의 로자는 상황을 파악하고 의문에 답해주었다.

"그 잠깐 사이에 《폭식》을 발동한 거야……. 압축강화의 전반에 주위의 중력의 강도를 수십 분의 1까지 줄이고, 그 틈에 중력구를 뚫고 나간 거지."

룩스의 강화된 사고 속도가, 다른 기룡사는 흉내낼 수 없는 인지를 초월한 조작을 실현해낸 것이다.

"그리고 저 상황이라면, 룩스의 승리입니다."

역시나 싸움을 지켜보던 세리스가 보충하듯이 말했다.

《티아마트》는 원거리 전투에 특화된 신장기룡.

밀착할 정도의 접근전 상황에서는 압도적인 열세에 놓이게
된다.

하물며 상대가 룩스라면 더 말할 것도 없다.

하지만―.

"―아니, 아직이야. 잊은……거야? 세리스 선배. 저 아이의
저력을."

"……?!"

어느새 눈을 뜬 크루루시퍼의 지적에 세리스는 퍼뜩 깨달
은 것처럼 숨을 삼켰다.

다음 순간, 룩스와 리샤는 서로 밀착한 채 무서운 속도로
눈이 쌓인 대지로 낙하했다.

쿠웅―!

어마어마한 충격이 대지를 뒤흔든다. 룩스와 리샤는 서로
신장기룡을 밀착한 상태로 막강한 중력장 안에 있었다.

"저건…… 설마!"

그 광경을 본 아이리가 전율하며 중얼거렸다.

예전에 리샤가 세리스와 모의전을 치렀을 때 선보였던 자폭기.

상대의 기룡과 밀착한 상태에서 범위에 자신을 포함하여
《천성》을 발동한 것이다.

"―위험해! 저러다가 둘 다 죽을 거야!"

이상을 알아차린 에이릴이 비통하게 절규했지만, 다들 만신창이로 당한 탓에 기룡을 사용할 수 있을 정도로 회복한 사람은 아무도 없었다.

설령 있다고 해도 도움의 손길을 뻗기 전에 끝나리라는 것을 다들 짐작했다.

"윽…… 크윽……!"

보라색 중력장에 주위의 나무들이 쓰러지고 지면이 함몰된다. 《티아마트》의 모든 출력을 중력구에 담아 발사한 직후인 리샤가 다시 신장을 쓸 수 있게 되기까지는 시간이 좀 걸릴 터였다.

설령 『세례』로 에너지 연소 강화를 쓴다고 해도.

그러나 신왕국에 모든 것을 건 리샤의 집념이 마지막 공격을 가능하게 해주었다.

아주 작은 중력간섭밖에 발생할 수 없었지만, 밀착한 상태에서 《폭식》의 효과를 역으로 이용하여 최대의 공격을 실현한 것이다.

룩스가 중력구를 돌파하기 위해 사용한 압축강화.

전반 5초가 지나고 지금은 후반의 5초가 발동하는 중이다.

중력의 영향이 수십 배로 증폭됐기 때문에 미약한 수준이었던 《천성》의 위력도 수십 배가 되었다.

둘 다 장벽을 펼치고 방어태세를 취했지만 그래도 버틸 수 없었다.

기룡의 장갑과 프레임이 삐걱대며 찌그러지기 시작했다.

"리샤…… 님."

"나는 질 수 없다! 어마마마와 내 기사에게 맹세했단, 말이다……!"

리샤는 당장이라도 눈물을 쏟을 듯한 고통스러운 표정으로 신장을 사용했다.

이대로 룩스가 쓰러지지 않는다면 죽을 때까지 신장을 유지하리라.

'아아—.'

룩스는 머리 한쪽에서 자신이 이해한 것을 다시 떠올렸다.

룩스는 리샤가 슬퍼하는 모습을 보고 싶지 않았다.

괴롭고 힘든 과거를 극복하고, 공주라는 중책에도 지지 않고, 강하고 긍정적으로 살아가려 하는 그녀를 보고 룩스는 희망을 발견했다.

구제국의 왕자였던 자신이 실망한 끝에 직접 무너뜨린 조국과는 다르게, 리샤라면 분명 신왕국을 옳은 길로 이끌어줄 것이라고 믿어 의심치 않았다.

"저는— 기뻤습니다. 당신 곁에 있을 수 있다는 게, 저를 받아준 당신 밑에서, 새로운 왕의 길을 목표로 나아갈 수 있다는 게……."

"무슨 말을, 하는 거냐……. 나는— 안 속는다. 너 같은 녀석의, 감언이설에는 넘어가지 않을 것이다!"

막강한 중력장 속. 두 기룡이 서로 들러붙은 상황에서, 리샤는 룩스의 말에 저항했다.

"그래서 저는 당신을 피하고 만 거예요. 당신에게 현실을 들이미는 게 무서워서. 당신을 괴롭게 해서, 미움받는 게, 무서웠어요."

그래도 룩스는 멈추지 않고 진심을 털어놓았다.

지금까지 자신이 전력을 발휘할 수 없었던 이유. 크루루시퍼 덕분에 깨달은 사실이 눈앞에 있었으니까.

제아무리 올바른 논리로 마음을 속여도, 룩스의 본심은 속지 않았다.

그래서 『세례』의 힘도 발휘하지 못한 것이다.

다른 누가 아닌 룩스가, 리샤에게 진실을 밝히는 것이 두려워서, 도망치는 바람에.

"그래도 말해야만 해요. 라피 여왕 폐하께, 당신의 양어머니께 『성식』이 기생했어요. 빼앗기고 말았죠. 여왕 폐하를 쓰러뜨리지 않으면 세상이 멸망할 거예요."

"무, 슨……. 그럴 리가 없어! 어마마마를 지켜드리겠다고, 나는—!"

룩스의 설득에 저항하려는 것처럼, 《천성》의 중력장이 강해졌다.

《폭식》에 의한 후반 5초의 증폭 효과는 이미 끝났다.

그러나 리샤가 자기 의지로 신장에 모든 에너지를 쏟아 부어 룩스를 잡아 두고 있었다.

이대로 자폭할 각오로 능력을 계속 발동했다.

장갑만이 아니라 기룡에 보호받는 육신의 뼈마저 비명을 지르는 게 느껴졌다.

"오빠! 달아나세요! 이대로라면……!"

그 광경을 지켜보던 아이리의 절규가 귀에 닿았다.

《폭식》을 다시 발동해서 중력의 영향을 경감하면 충분히 가능했지만, 룩스는 그럴 생각이 없었다.

"함께 싸워주세요. 리샤 님. 당신이 없으면 안된다는 사실을, 저는 이제야 깨달았어요."

"─."

소녀 본인에게마저 고통을 주는 중력장에서 달아나는 대신에, 룩스는 양손을 뻗어 리샤의 머리를 끌어안았다.

《바하무트》의 장벽으로 중력장의 영향력을 줄여서, 고통으로부터 그녀를 지키는 것처럼.

"당신이 곁에 있어주었기에, 봐주었기에, 저는 싸울 수 있었어요. 강한 마음을 가질 수 있었어요. 그러니까 신왕국의 공주로서 싸워주세요. 앞으로 아무리 힘든 일이 닥친다 해도, 영원히 제가 당신 곁에서 지탱해줄 테니까. 당신의 힘이 되어줄 테니까─."

"……흐윽?!"

룩스의 목소리가 리샤의 마음에 전해진다.

룩스는 지금까지 그녀들과 함께한 덕에 자신이 강해질 수 있었다고 생각했다.

그녀들과의 인연이 끊어지더라도 혼자서 충분히 싸울 수 있으리라고 믿었다.

—그러나 실상은 그렇지 않았다.

룩스는 리샤와 소녀들이 있어주었기에, 곁에 있었기에 싸울 수 있었으며, 강한 마음을 가질 수 있었다.

자신이 있어 주기를 원하는 소녀들과의 인연 덕분이었다.

리샤가 고생해서 다시 만들어 준 자신의 기룡을 통해서도 힘을 얻었다.

구제국의 왕자로서 고독했던 자신 곁에는, 이제 수많은 소중한 동료들이 함께 있었다.

줄곧, 그 덕분에 강할 수 있었던 것이다.

'—내가 약했던 이유는, 내 약함을 인정하지 못했기 때문이야. 그녀들에게 본심을 털어놓을 용기를, 이해하게 할 용기를 갖지 못했기 때문이야.'

그렇기에 전달해야만 했다.

리샤에게 룩스 자신의 마음과 소원을.

"나, 는……."

리샤가 자기 자신까지 벌하려는 것처럼 사용한 《천성》의 위력을, 눈앞에 있는 **적**이 방패가 되어 완화해주었다.

양어머니를 구하지 못했다는 죄의식.

그 괴로움을 조금이라도 나눠서 지려고, 이해하려고, 지켜 주려고 하고 있었다.

'이 녀석은…… 적이, 아니란 말인가? 어째서, 어째서 이런

짓을—.'

리샤의 마음속에 의문이 싹텄다.

신왕국을 무너뜨리려고 하는, 양어머니를 죽이려고 하는 적일 텐데, 어째서 자신의 마음을 지키려고 하는 것인가.

《우로보로스》의 주박이, 마음이 옭아매고 있던 사슬이 차츰 끊어졌다.

마음을 뒤덮고 있던 안개가 걷히면서 눈앞의 소년을 인식하게 됐다.

소년은 리샤의 몸을 껴안은 채 중력장의 고통을 견디면서, 그녀를 안심시키고자 부드럽게 미소 짓고 있었다.

"—리샤 님, 당신을 사랑합니다."

그리고 룩스는 마음 깊은 곳에서 우러나온 마음을 소녀에게 전달했다.

그 순간 리샤의 가슴 속에서 무언가가 끊어지는 소리가 났고.

그녀는 마침내 정신을 차렸다.

"룩, 스……?"

리샤는 알고 있다.

늘 자신을 지켜주는 이 소년을.

자신의 슬픈 과거를 알고, 목숨을 아끼지 않고 도와준 소년을.

"—룩스!"

인식의 주박에서 풀려나는 동시에 《천성》의 중력장이 사라졌다.

그리고 리샤를 감싸고 있던 《티아마트》의 장갑이 해제되었고, 룩스도 그 자리에서 쓰러졌다.

리샤는 쓰러진 룩스를 몸을 숙여 안아 일으켰다.

진홍빛 눈동자에서 솟구친 눈물이 뺨을 타고 설원 위에 떨어졌다.

리샤는 지금까지 자신이 봐 온 것이 틀렸음을 알아차렸다.

라피 여왕이 이제는 자신을 다정하게 지켜보던 자상한 양어머니가 아니라, 인간의 악의와 증오를 먹어치우는 괴물로 변해버렸음을.

최강의 인간형 라그나뢰크로 거듭난 그녀를 물리치는 것 외에는 이제 구할 방도가 없다는 것도.

"나, 는…… 맹세했다. 어마마마와 함께, 이 신왕국을 지켜내겠다고……."

"알고, 있어요. 하지만—."

"말하지 않아도, 돼. 나도 안다. 이대로라면 신왕국이 무너지겠지. 어마마마께서 갖은 고초를 겪으시면서도, 필사적으로 지키려고 했던 것이……."

떨리는 리샤의 어깨를 룩스는 살며시 보듬어주었다.

피로와 고중력 때문에 피폐해진 몸으로, 그럼에도 리샤의 슬픔을 받아들이기 위해서 룩스는 가슴을 빌려주었다.

"나는 공주로서, 그 사람의 딸로서 반드시 막아야 해. 그건, 잘 알아……."

"……"

룩스는 흐느끼는 리샤를 끌어안은 팔에 힘을 주었다.

어떤 말로 위로해도, 그녀의 괴로움을 덜어주지 못한다는 것은 알고 있었다.

그래도 그녀와 같은 괴로움을 짊어진 사람이 곁에 있다는 걸 전하기 위해서.

신왕국군의 통솔자인 리샤가 진실을 눈을 뜬 것을 계기로, 『창궁사단』과 신왕국군의 전쟁은 사실상 이 자리에서 종결됐다.

†

구워어어어어어어어—.

회색 하늘에서 메아리치는 기묘한 울음소리.

모든 에너지를 먹어치운 라피는 완전히 자아를 잃었다.

사람들의 의지를, 정신을 통합한 『성식』은 한 가지 결론을 내놓는다.

이 세계를 파멸로 인도하여 모든 것을 처음으로 되돌리는 것.

인간이 인간의 사회로서 도출해낸 결론.

지배와 폭력으로 같은 인간에게서 빼앗는다는 결론을 지워버리기 위해, 인간에게서 힘을 빼앗기 위해 『성식』이 움직인다.

그 모습을 지켜보던 후길은 천천히 일어났다.

"이로써— 라피는 왕의 그릇의 자격을 잃어버렸군요."

최후의 자동인형 아샤리아가 무감정하게 중얼거렸다.

"아니, 아직 아니야. 저자의 의지가, 자아가 완전히 사라진 건 아니거든."

후길은 소녀 같은 모습으로 시꺼먼 독기를 흩뿌리는 라피를 보며 반박했다.

그 말처럼 라피의 얼굴에는 요사한 미소가 서려 있었다.

"—룩스 아카디아. 제 딸을 쓰러뜨린 건가요. 그렇다면 되찾아야겠군요. 이 시대의 왕을 결정하는 땅, 중추가 잠든 무대에서."

그녀는 수 키르 이상 떨어져 있는 룩스 일행의 상황을 이해하고, 기다리고 있었다.

진정한 왕을 자처하기 위해서는 중추와 연결되어야 하므로, 이곳을 피해서 지나갈 수는 없다.

『성식』으로서 잡아먹은 인간들의 감정에 정신이 오염되었지만, 그래도 마지막 의식만은 유지하고 있었다.

리샤와 함께 품은 염원. 신왕국을 이상적인 나라로 만들기 위해서.

"……과연, 싸움은 아직 끝난 게 아니었군요."

자동인형 아샤리아의 말에 후길은 묵묵히 고개를 끄덕였다.

라피와 나눈 약속은 이미 자동인형들이 달성했다.

『그랑 포스』를 탈취, 회수했으니 이제 후길을 『모형정원』으로 보내서 그것을 재설치한 다음 활성화하는 과정만 남았다.

그러면 다시 유적과 공명해서 《우로보로스》의 세계 개변—《영겁회귀》를 발동할 수 있게 된다.

룩스 일행을 쓰러뜨리면 후길이 다시 세계 개변을 실시할 계획이었다.

룩스 일행이 그것을 막기 위해 중추가 잠든 이곳으로 오리라는 것을, 라피는 알고 있었다.

자신의 딸과 숙적을 기다리고 있었다.

"그럼 가볼까. 모든 것을 시작으로 되돌리기 위해. 인간이 자아내는 가능성을 지켜보기 위해."

"네……. 여긴 제가 보고 있겠습니다. 후길, 조심하세요."

후길은 아샤리아의 배웅을 받으며 《우로보로스》의 특수 무장— 모든 기룡을 구현할 수 있는 《윤회전생》^{인피니티}으로 만들어낸 《바하무트》로 날아올라 『모형 정원』^{가든}으로 향했다.

후길이 돌아올 때까지 대략 대여섯 시간은 걸릴 것이다.

그 안에 승자가 결정된다.

룩스인가. 아니면 라피 여왕인가.

이 땅에서 다음 세대를 짊어지기에 걸맞은 왕의 자격을 가진 자는.

†

"후길 오빠가 어디론가 이동하는 것 같아요. 레이더에 반응이 있어요."

휴식을 취한 덕분에 겨우 《드레이크》를 전개할 수 있게 된 아이리가 미심쩍은 표정으로 중얼거렸다.

타닥타닥 소리를 내며 타오르는 모닥불 여러 개가 얼어붙을 듯한 추위를 막아주고 있었다.

룩스와 리샤. 그리고 이곳에 모인 모두는 파괴된 『셸터』에서 멀쩡한 침대와 시트, 그리고 비상식량과 식수 등을 꺼내 휴식 및 응급처치를 했다.

"설마 왕도로 간 건 아니겠지? 무슨 꿍꿍이일까?"

티르파가 걱정스레 물어보자 에이릴이 살짝 고개를 저으며 대답했다.

"아마 『그랑 포스』를 『모형 정원』에 설치하러 갔겠지. 다시 《우로보로스》로 세계를 개변할 준비를 하려고. 신왕국 자체에 무슨 짓을 하러 가진 않았을 거야."

그 말을 듣고 일동은 안도의 한숨을 쉬었지만, 표정에는 여전히 불안함이 남아 있었다.

"하지만 그것도 위험한 거 아닌가? 또 《우로보로스》가 우리의 인식을 고쳐 쓸 거라는 얘기잖아."

샤리스가 지적하자 녹트도 수긍했다.

"Yes. 하지만 막을 방법이 없습니다. 설령 우리가 전부 만전의 상태라고 해도, 다른 상대도 아닌 그 후길을 막는 건……."

"……."

이 자리에 있는 『기사단』 멤버도, 『칠용기성』도, 룩스와 리샤조차도 아무 말도 하지 않았다.

그 사실이 상황이 어떤지 단적으로 말해주고 있었다.

"미안하다. 다들 나 때문에 괜한 고생을 했군."

"그런 말씀 하지 마세요. 제 생각이 짧았던 탓이니까."

올바른 인식을 되찾은 리샤가 일동 앞에서 머리 숙여 사과하자 룩스가 즉각 그녀를 다독여주었다.

《우로보로스》의 인식 주박이 풀린 덕분에 리샤와 함께 싸울 수 있게 됐다.

"아니, 나는 공주로서 책임이 있다. 어마마마의 변화를 어렴풋이 느끼긴 했지만, 끝내 간파하지는 못했지. 왕녀 실격이야."

"아니, 그렇지는—."

룩스가 반사적으로 리샤를 두둔하려고 하자—.

"너희말이야, 조금 전까지 그런 상황이었으니까 용서하겠지만, 너무 꽁냥대진 말아주겠니? 세상에 위기가 닥쳐오고 있다구."

메르에게 간호를 받으며 누워있던 크루루시퍼가 어이없어하면서 끼어들자 리샤의 뺨이 대번에 빨갛게 물들었다.

분노와 수치심.

하지만 굳이 따지면 후자의 비율이 높은 것 같았다.

"놀리지 마라, 크루루시퍼! 나는 진지하게—."

그 분위기를 다른 멤버들 중 절반 이하가 흐뭇하게, 나머지 절반 이상이 복잡한 심정으로 지켜보았다.

이 자리에 없는 요루카를 포함해서 크루루시퍼, 피르히, 세리스는 반복되던 퍼레이드 기간 동안 룩스와 사랑을 속삭인 사이다.

앞에 왕이라는 단어가 붙을 만큼 둔감한 룩스도, 그 물밑의 중압감을 은연중에 느끼고 있었다.

조금 전 리샤에게 『사랑한다』고 고백한 것도 물론 거짓은 아니었지만─.

"로자…… 이건 설마, 소문으로 듣던 수라장이라는 거?"

"나한테 묻지 말아줄래……."

소피스의 질문에 붉은 머리 소녀가 눈살을 찌푸렸다.

"대체 퍼레이드 도중에 뭔 일이 있었던 거냐……."

"대충 알 것 같긴 해. 오빠도 참 죄가 많은 남자라니까."

진짜로 아무것도 모르는 그라이퍼 옆에서 메르는 기막혀하며 탄식했다.

이곳에 있는 인원들 중에서는 가장 어리지만 감수성은 예리한 모양이었다.

어쨌거나 아무도 그 사실에 대해서는 언급하지 말자고 생각하는 것 같았다.

이 전투에서 이기고 살아남지 않으면 아무것도 시작되지 않는다.

게다가 또다시 《우로보로스》의 세계 개변이 발동되면 지금 가까스로 떠올린 기억을 잊어버리게 된다.

"아르마. 너도 진실을 알고 있었구나. 수고를 끼쳤다."

"됐어. 나도 라피 고모나 언니에게 복수하겠다는 마음은 이제 싹 사라졌으니까. 절대 용서하지 않겠다고 오랫동안 이를 갈았지만, 다 부질없다는 걸 새삼 깨달았어."

영걸 아티스마타를 배신한 그녀들 또한 괴로움에 시달렸지만, 과거를 딛고넘어서 살아가고 있음을 아르마는 알게 되었다.

그리고 자신의 존재를 받아들여준 지금, 혈육인 리샤를 원망할 이유는 어디에도 없었다.

"리즈샤르테. 그런 것보다도, 후길의 동향을 파악했으니 앞으로의 행동 방침을 결정해야 하지 않을까요."

크흠, 하고 헛기침을 하고는 『기사단』 단장 세리스가 분위기를 환기했다.

리샤가 인식의 주박에서 벗어났으니 이제는 그녀가 길을 제시해야만 했다.

그들의 적은 최강의 라그나뢰크이지만, 동시에 그녀의 양어머니이기도 하니까.

"각오는 끝났다. 나는 반드시 어마마마를 막아야만 해. 신왕국의 공주로서, 그 사람의 사랑하는 딸로서, 그렇게 하는 것이 책무이니까."

리샤의 결의를 듣고 일동은 말없이 고개를 숙였다.

힘든 선택지였지만, 그보다 나은 방법은 없었다.

『창조주』로서 그 누구보다도 유적과 『성식』에 대해 정통한 에이릴조차 리샤에게 아무 말도 못할 정도이니까.

"『성식』의— 라피 여왕 폐하의 현재 위치는 알고 있나요?"

"이번 결투의 룰을 선언한 호수 북쪽에 있는 것 같아요. 레이더로 확인해봤는데, 그곳이 환신수의 반응이 끊어진 포인트거든요."

세리스의 질문에 아이리가 대답했다.

전투 요원으로서는 아직 부족해도, 정보 담당으로서는 이미 제 몫을 해내고 있었다.

"중추가 숨어있는 위치라니, 우연일까……. 아니, 그녀도 알고 있는 거겠지. 그곳이 세계 개변의 스위치를 누르는 기점이 되는 장소라는 걸."

"……."

폭주해서 『고대의 숲』에 있는 적과 아군을 무차별로 공격한 라피의 자아는 이미 『성식』에게 먹혀 사라졌을 것으로 예상됐다.

그럼에도 불구하고 본능적으로 룩스 일행의 목적을 읽어내는 모양이었다.

"문제는, 폐하를 피해서 먼저 중추에 도착할 수 있느냐는 거네요. 어떻게 생각하세요? 오빠, 에이릴 씨."

아이리는 한 가지 선택지를 제시했다.

후길이 조종하는 《우로보로스》의 약점을 알아내기 위해, 『대성역』의 시설 『아카이브』에서 기록 영상 아샤리아에게 물어봤다.

그러나 『아카이브』가 엘 파줄라의 방해로 파괴된 지금, 나머지 얘기는 중추에서만 들을 수 있다.

유용한 정보는 아직 얻지 못했다.

얻으리라는 보장도 없다.

기록 영상의 정보에 연연해봤자 전력 분산이라는 위험을 초래하게 될 뿐일지도 모른다.

이곳에 있는 멤버들은 휴식하며 체력을 회복하고 있긴 하지만, 만전의 상태와는 거리가 멀었다.

어쨌거나 세계 붕괴를 막으려면 중추와 접속해서 『성식』의 작동을 정지하는 명령을 내려야만 한다.

그러나 현재 『대성역』을 조종하고 있는 라피는 『성식』 자체와 융합하고 말았다.

결국 라피가 먼저 자멸하기를 기다리거나 그녀를 쓰러뜨리는 과정을 거칠 필요가 있다.

"그렇다면 여왕님부터 쓰러뜨릴 수 밖에 없는 거 아냐?"

"동감이야. 지금 우리 꼴을 보면, 전력을 분산해봐야 각개 격파 당할 뿐이라구."

타국의 『칠용기성』 그라이퍼와 메르는 지극히 합리적인 의견을 내놓았다.

하지만 룩스의 마음 속에는 망설임이 있었다.

'라피 여왕 폐하를 쓰러뜨릴 각오는 되어있어. 하지만—'

룩스에게는 눈앞에 닥친 위기를 모면하는 것만이 아니라 그 다음 목표가 있었다.

그러나 거기까지 모두와 함께 행동해도 되는 것일까.

룩스가 그렇게 생각하며 망설이자—

"—룩스, 네가 정해다오. 어떻게 하는 게 좋을지. 이번 싸움에 관해 누구보다 잘 파악하고 있는 사람은 너다."

리샤가 재촉하자 룩스는 심호흡을 했다.

시간은 없다.

만약 라피가 본격적으로 폭주하여 신왕국으로 향하면 끝없는 살육이 시작되고 만다.

그리고 룩스의 또 다른 소망 하나도 전해야만 했다.

"다들 들어줄래? 내 생각과 소망을."

학원 멤버들인 리샤, 크루루시퍼, 피르히, 세리스, 아이리와 트라이어드.

『칠용기성』의 협력자인 그라이퍼, 메르, 로자, 소피스.

『창궁사단』으로 함께 행동한 아르마와 에이릴.

그 모두를 둘러보며 룩스는 말했다.

예전에는 목적도 사고방식도 저마다 달랐던 모두가, 세계 개변으로 인식이 바뀌었던 모두가, 이렇게 한마음 한뜻이 된 것만으로도 기적이리라.

그 기적을 믿어보자고, 룩스는 마음먹었다.

"새삼스럽게 확인하실 필요는 없답니다—. 여기 있는 모두가 룩스 님을 믿고, 따르고 있으니까요."

"너는 그『따르다』라는 말을, 아마도 조금 다른 뜻으로 생각하고 있겠지만……."

뜨겁게 취한 듯한 눈빛으로 룩스를 올려다보는 로자 옆에서 소피스가 딴죽을 걸었다.

룩스는 미묘한 쓴웃음을 지으며 최후의 작전에 대해 설명했다.

이 자리에 모인 모두의 힘을 결집하여 세상을 위기에서 구해내는 작전을.

†

눈발이 흩날리는 『고대의 숲』. 그 설경 속을 장갑기룡 한 기가 천천히 전진하고 있다.

이 전쟁에 사실상 결판이 났음을 확인하고 어떤 세 사람이 움직이기 시작했다.

사족 보행 장갑기룡 《드레이크》의 두 어깨에는 한 명씩 앉아 있었다.

"후우…… . 역시나 춥구먼. 이 더럽게 비싼 모피 코트를 입었는데도 말이야."

"그럼 얌전히 은신처에서 기다리세요."

"미안허이. 위험을 무릅쓰게 해서. 그대에게는 늘 고생만 시키는구먼."

"그런 뜻이 아니에요. 저는 어찌되든 상관없어요. 그저 당신의 몸을 염려하는 것뿐이죠, 마기알카 님."

《드레이크》를 조종하는 장의 차림의 소년은 체념이 섞인 표정으로 탄식을 흘렸다.

몇 시간 전에 전투가 일단락됐음을 부하에게 보고받은 마기알카는 이 싸움의 결말을 지켜보러 가자고 보좌관 롤로트에게 부탁했다.

물론 현재 마기알카의 몸 상태로는 장갑기룡을 쓸 수 없는 까닭에 정말로 그저 구경하러가는 것이었으나, 늘 변덕스러운 주인의 행동을 평소보다 몇 배는 더 뜯어말렸다는 것은 말해봐야 입만 아플 것이다.

그럼에도 롤로트가 끝내 거절하지 못한 것은 주군인 그녀에게 크나큰 은혜를 입었기 때문이다.

약육강식 스타일로 억척스럽게 돈을 모은 마기알카는 사업에 실패하고 자살한 사업가의 아들인 롤로트를 사들였다.

그러나 마기알카는 롤로트에게 어떤 심한 짓도 하지 않았으며, 어디까지나 그의 장점을 살려 비서로 일할 수 있게 해주었다.

마기알카는 롤로트 외에도 그녀의 취향인 앳된 얼굴의 소년들을 몇이나 곁에 두었지만, 다양한 사정으로 불행해진 이들을 구하는 과정에서 그렇게 됐을 뿐, 강제로 은혜를 베풀어 종속시킨 것은 아니다.

호방하고 변덕스럽고 안하무인이지만, 밝고 강하며 늠름한 주인을 그 누구보다도 사랑하기에 되도록 전장에 보내고 싶지 않았다.

그런 롤로트의 마음을 아는 건지 모르는 건지, 마기알카는 의미심장한 미소를 지으며 말했다.

"요루카. 그대도 뭐라고 말 좀 해보게. 설교 때문에 귀가 근질거려서 견딜 수 없구먼."

"제가요?"

롤로트가 조종하는 《드레이크》의 왼쪽 어깨에 탄 장의 차림의 소녀가 의아함이 섞인 미소를 지으며 고개를 갸웃했다.

그녀도 힘이 바닥나서 지금까지 쓰러져 있었지만, 마기알카가 권유하자 흔쾌하게 동행을 수락했다.

독특한 사고회로를 가진 그녀에게 상식을 묻는 것 자체가 잘못된 것처럼 느껴졌지만, 롤로트는 아주 약간 반응이 신경 쓰였다.

"글쎄요. 저도 보좌관 씨의 말이 지당하다고 생각한답니다."

"엑……?!"

"뭣이?"

요루카의 시원스러운 대답에 롤로트와 마기알카의 눈이 동시에 휘둥그레졌다.

설마 그녀가 롤로트의 의견에 동의할 줄은 예상도 못했다.

요루카라면, 주인이 원하는 바를 완수하기 위해서라면 어떤 위험도 마다하지 않을 것이라는 대답을 하리라고 생각했기 때문이다.

"이거 참, 룩스 덕분에 제법 인간다운 마음이 싹튼 겐가……."

"네, 저도 놀랐어요……."

"아니면 저번에 자동인형과 싸운 후유증이……."

등등, 마기알카와 롤로트는 멀쩡한 발언을 한 요루카에게 태연하게 막말을 했지만— 요루카 본인은 전혀 신경 쓰지 않았다.

"역시 그렇죠? 이런 때까지 굳이 직접 움직이지 않아도—."

"아니요. 그런 뜻이 아니어요."

요루카는 동의하는 롤로트의 발언을 가볍게 흘려넘겼다.

"어, 그럼 저는 어찌 되든 상관없으니까, 마기알카 님만 무

© Yuichi Murakami

사하면 된다는―."

"그런 뜻도 아니랍니다."

요루카는 서늘한 미소를 머금은 채 재차 시원스럽게 대답했다.

그리고 다시 물어보기 전에 말을 이었다.

"그 두 개는 합쳐서 하나여요. 우리의 사명은 주인님을 지켜드리는 것이지만, 원하는 바를 이뤄드리는 것 또한 사명이지요. 그렇게 도움이 되어드릴 수 있다면, 그 이상의 행복은 없을 것이어요."

"반한 쪽이 지는 거라는 얘기인가. 흐흐흐, 그대는 참 알기 쉽구먼."

"……."

음흉하게 웃으며 장단을 맞춰주는 마기알카를 보고 롤로트는 어이없는 기분으로 한숨을 푹 내쉬었다.

하지만 그게 정답이었다.

요루카와 마기알카가 한 말은 진리나 다름없었다.

주인에게 심취한다는 것은 본디 그런 것이다.

애초에 마기알카는 언뜻 보기에는 별난 것을 좋아하는 인물 같지만, 실제로는 합리적인 판단을 좋아하는 여성이다.

거동이 불편한 그녀가 이렇게까지 적극적으로 나서는 것에도 분명 이유가 있을 것이다.

롤로트가 그렇게 생각했을 때―.

"―요루카 씨?! 환신수 반응이에요!"

"알고있답니다."

롤로트가 레이더의 반응을 보고 소리쳤다.

《드레이크》의 왼쪽 어깨에 올라탄 요루카에게 부탁하기도 전에 그녀는 눈이 쌓인 땅에 내려서서 자신의 신장기룡을 전개했다.

대국적인 싸움은 이미 끝났어도, 이 『고대의 숲』은 여전히 전장이었다.

환신수가 몇 마리쯤은 출몰해도 이상할 것은 없었다.

하지만—.

"……어째서, 여기에?"

시선 끝에서 나타난 그림자를 보고 롤로트는 할 말을 잃었다.

앞머리 일부가 은색으로 변한, 화려한 드레스 차림의 소녀.

『성식』— 라피 여왕이 그곳에 있었다.

†

한편, 파괴된 『셸터』에 남은 물자로 만든 야영지에서 룩스 일행은 회의를 마쳤다.

룩스가 제시한 작전은 역시나 중추를 제압하는 것.

에이릴, 리샤와 함께 중추 내부에 진입, 『모형 정원』에서 습득한 기록 매체로 아샤리아의 인공지능을 기동한다.

그리고 《우로보로스》의 약점을 찾아서 정지시키는 것이 목표다.

"그런데 이해가 안 되네요. 자아를 잃은 라피 여왕 폐하는 둘째 치고, 후길 오빠가 쉽게 그 자리를 뜨다니."

룩스와 마주 앉은 아이리가 미심쩍다는 투로 중얼거렸다.

『그랑 포스』를 『모형 정원』에 설치하는 것은 세계 개변을 실시하기 위한 필수 조건이긴 하나, 확실히 무언가 어설펐다.

하지만 룩스는 은연중에 짚이는 게 있었다.

일단 자동인형 아샤리아를 남겨뒀을 테고, 그 이전에 분명 라피와 룩스를 마지막까지 싸우게 하고 싶었을 것이다.

후길의 목적은 어디까지나 인간이 선택한 길의 향방을 지켜보는 것이니까.

"하지만 지금이 천재일우의 기회라는 건 변함없습니다. 어느 정도 움직일 수 있을 만큼 회복된 사람부터라도 움직여야 해요."

그렇게 세리스가 대화를 이어받았다.

중추로 향하는 주력 부대로는 룩스, 리샤, 세리스, 피르히, 에이릴. 이렇게 다섯 명이 편성됐다.

『셸터』의 임시 거점을 지키는 임무는 아이리를 중심으로 한 나머지 멤버에게 맡겼다.

소피스와 로자, 아르마, 아이리와 트라이어드도 장갑기룡을 다룰 수 있을 만큼 회복되었지만 전력으로 삼기에는 아직 불안했다.

언급되지 않은 멤버는 당연히 보호를 받으며 대기하게 됐다.

적의 접근을 놓치지 않고 탐지하며 헤쳐나가는 능력이 필수

이리라.

"그럼 갔다 오마. 여긴 잘 부탁한다, 아르마."

"응. 언니도 조심해."

자매의 짧은 인사가 끝난 후, 룩스 일행은 중추를 향해 출발했다.

『셸터』에 남은 아이리는 곧바로 《드레이크》의 레이더로 눈을 돌렸고― 이내 소스라치게 놀라며 소리쳤다.

『이건…… 주위에 환신수가 출몰했어요. 조심하세요, 오빠―!』

『뭐……?!』

『어떻게 된 거지? 이 일대의 환신수는 전부 『성식』이 흡수한 게 아니었나?』

아이리의 용성 통신을 받은 룩스 부대에 긴장이 서렸다.

『아니, 흡수했다면 반대로 만들어낼 수도 있을 거야. 아마 이 상황에 맞춘 능력을 가진 몇 마리를 엄선해서 만들었겠지.』

에이릴의 부연 설명에 룩스는 망설였다.

이대로 그녀들을 『셸터』에 두고 가도 괜찮을 것인가.

『루크찌, 우린 걱정하지 마! 수는 얼마 안 되니까, 여긴 우리가 알아서……윽―?!』

룩스를 안심시키려던 티르파의 말이 중간에 끊겼다.

『이건, 말도 안 돼!』

『―어떻게, 된 겁니까?』

샤리스와 녹트가 경직된 목소리로 중얼거렸다.

룩스 일행이 중추로 출발한 직후, 야영지에 라피가 나타났다.

"설마, 본체의 분신을?! 이미 만들어둔 거야?"

아르마는 당황하며 무기를 들었다.

눈앞에 나타난 소녀는 남은 일행을 오만한 시선으로 바라보며 미소 지었다.

†

"라피. 설마 그럴 리는 없겠지만, 혹시— 아직 자아가 남아 있는 건가요?"

"······."

지하에 중추가 잠들어있는 거목 앞에 우두커니 서 있는 라피의 본체는 대답하지 않았다.

하지만 이미 조금 전에 그녀의 계략을 보았다. 자신의 육체에서 살로 된 뿌리를 뻗어 환신수를 생성하는 광경을.

다가오는 룩스 일행을 확실하게 말살하기 위한 계략을 선택해서 실행하는 모습을.

"그렇군요. 당신의 왕으로서의 싸움은 아직 끝나지 않았다는 건가요? 그렇다면 끝까지 지켜봐야 하겠군요."

자동인형 아샤리아는 후길이 명령한 대로 이 싸움의 감시역을 철저히 고수했다.

이제는 거의 다 사라졌을 라피의 잔류 의식이 마련한 최후의 함정.

룩스가 그것을 과연 돌파할 수 있을 것인가.

왕의 자질을 확인하기 위한 마지막 시험이 시작되었다.

†

룩스, 리샤, 피르히, 세리스, 에이릴 다섯 명은 후방에 남겨
둔 트라이어드가 보낸 용성을 듣고 동요했다.

"룩스 군, 위험해! 당장 안 돌아가면 아이리네가…… 라피
여왕은 직접 우리를 찾아온 거야!"

《자하크》를 두른 에이릴이 다급하게 룩스를 독촉했다.

룩스도 당장 돌아가고 싶다는 충동에 시달렸지만 그 마음
을 애써 억눌렀다.

『아이리, 그 라피 여왕 폐하는 어느 방향에서 왔어? 북쪽이
야, 남쪽이야?』

『오빠! 그런 것보다, 어떻게 대처해야 할지 지시를―.』

룩스는 재빨리 물어봤지만 아이리는 패닉에 빠져 있었다.

『대처하기 위해서 묻는 거야. 북쪽에서 나타났다면 바로 돌
아가겠어. 남쪽에서 나타났다면, 아까 《드레이크》의 레이더에
걸리지 않았다는 점을 떠올려 봐.』

『……?!』

그 말을 듣고 아이리는 평정을 되찾았다.

그리고 몇 초 후, 라피의 계책을 간파한 룩스의 의도를 이
해했다.

『오빠. 이쪽은 걱정하지 마세요.』

『고마워. 조심해.』

그 대화를 마지막으로 룩스는 용성 통신을 마쳤다.

"룩스, 정말 괜찮은 거냐?! 동생 쪽을 도우러 가지 않아도—."

황급히 물어보는 리샤에게 룩스는 짧게 대답했다.

"네.『셸터』로 간 폐하는— 진짜가 아니라 환신수예요."

†

"—그런, 거였군."

남은 멤버들이 대기 중인 야영지에서.

《엑스 와이번》을 두르고 주위를 경계하던 샤리스는 아이리의 지시를 받고 저도 모르게 신음했다.

조금 전에 발견한 라피는 곧장 후퇴해서 숲·안쪽으로 들어갔다.

하지만 레이더에는 여전히 반응이 잡혔다.

육안으로는 보이지 않아도 그리 멀지 않은 위치에 있는 것이다.

다만—.

"가짜…… 의태 능력을 가진 새도를 보낸 겁니까. 납득되는군요."

《엑스 드레이크》를 두른 녹트도 들은 얘기를 곱씹으며 이해했다.

조금 전의 라피 여왕이 양동을 위한 가짜라는 것을.

"난 아직 이해 못했는데?! 실제로 이쪽에는 환신수 몇 마리가 들어왔단 말야!"

"나도 그래! 대체 무슨 일이 일어난 거야?! 어째서 저 『성식』이 가짜라고 단언할 수 있는 건데?"

티르파와 아르마가 의문을 제기하자 아이리는 어쩔 수 없다는 듯 한숨을 쉬었다.

"아까 『성식』이 나타난 방향이 문제. 이곳에서 출발한 룩스네의 이동 방향은 북쪽. 지금까지 북쪽에서 환신수의 반응은 나타나지 않았어."

기룡을 두르지 않고 쉬고 있던 소피스가 아이리를 대신해서 담담하게 설명했다.

"우리의 의식은 중추에 쏠려있었어―. 그 말인즉슨― 북쪽에서 왔다면, 지금까지 레이더로 그 존재를 빠르게 파악했을 가능성이 있었다는 거지."

아이리는 로자의 해설에 고개를 끄덕이며 설명을 덧붙였다.

"적이 남쪽― 즉 우리 뒤쪽에서 나타났다는 건, 레이더에 걸리지 않게, 들키지 않게 우회해서 이쪽으로 오고 있었다는 뜻이에요. 굳이 그런 짓을 한 건, 공격 직전까지 들키고 싶지 않았기 때문이겠죠."

"혼란을 유발해서 중추로 가는 전력을 분산시키고 싶다. 그게 『성식』― 라피의 의도일 거야."

끝으로 메르가 그렇게 마무리하자 남쪽에서 슬금슬금 나타나기 시작한 저급 환신수들이 진군하기 시작했다.

"하지만 라피는 이미 자아를 잃었다며? 그런 작전을 짤만큼 의 지능이 남아 있다는 거야?"

"아마도 본능이겠지. 폐하는 룩스 군을 상당히 의식하고 있을 테니까."

그라이퍼의 의문에 크루루시퍼가 답해주었다.

그 의견을 부정하는 목소리는 없었다.

나라를 어지럽히는 반란분자의 싹은 남몰래 제거한다.

수단을 가리지 않는 위정자로서의 각오.

라피는 이번에 하나부터 열까지 룩스를 의식해서 전략을 세웠다.

그것은 『성식』에 자아를 빼앗긴 뒤에도 합리적인 사고로 남아 있었다.

하지만.

"……."

크루루시퍼의 예측에 동의한다면 누구나 쉽게 떠올릴 법한 생각을, 아무도 입 밖으로 꺼내지 못했다.

라피에게 아직 그런 책략을 구사할 본능이 남아 있다면, 다른 책략도 준비하지 않았겠냐고.

그리고 많이 만들지는 못할 터인 『성식』의 분신체도 이미 준비되어 있지 않겠냐고.

룩스는 『『셸터』 쪽은 크게 위험하지 않을 것이다』라고 단언했다.

그러나 만에 하나 라피의 또 다른 함정이 엄습한다면, 이번에야말로 이곳에 남은 멤버들은 전멸을 면치 못하는 게 아니냐고.

모두가 그 낌새를 알아차렸지만 입을 꾹 다물었다.

주위에서 천천히 다가오는 환신수의 그림자에 떨면서, 용기를 쥐어짜냈다.

†

룩스 일행은 중추를 향해 일직선으로 전진했다.

"······."

룩스도, 리샤도, 세리스와 피르히도, 그리고 에이릴도— 어느 누구도 단 한마디조차 꺼내지 않았다.

다음번에 무언가와 조우할 때, 라피와의 싸움이 시작된다는 것을 알고 있었다.

"어마마마······."

리샤는 자신의 입에서 자연스럽게 새어 나온 말을 애써 눌러 삼켰다.

이미 『성식』은 폭주를 시작했다.

자신이 막아야만 한다는 책임감을 누구보다도 강하게 느끼고 있으리라.

"리샤 님. 당신 혼자 전부 책임지게 할 생각은 없어요. 우리 모두가 함께 짊어질 겁니다."

룩스는 공포로 떨고 있는 공주와 나란히 비행하며 등을 밀어주는 것처럼 말했다.

"……그래, 고맙다."

특별할 것 없는 한마디였지만, 지금의 리샤에게는 그 무엇보다도 효과적인 안정제였다.

"얼마 안 남았어. 이제 100메르 정도만 더 가면 지하에 중추가 있는 장소에 도착해!"

에이릴의 말을 듣고 모두가 마음을 다잡았다.

이 방향에서 환신수 반응이 잡힌다는 건 알지만, 룩스 부대에는 레이더를 탑재한 특장형 장갑기룡 사용자가 없는 탓에 구체적인 상황까지 파악할 수는 없었다.

이제 곧 울창한 숲을 빠져나간다.

눈에 들어오는 즉시 전황을 파악하고 행동할 수밖에 없다.

"숲을 빠져나간다. 다들 각오는 됐겠지!"

리샤의 호령에 다들 고개를 끄덕이고 경계심을 강화한 직후.

"—?!"

지금까지의 각오가 송두리째 날아갈 것 같은 이상한 광경이 시야에 들어왔다.

무너진 신전터에 피범벅으로 쓰러져 있는 라피.

그리고 그녀를 기공각검으로 찌른 것은, 후길 아카디아였다.

모두의 사고가 몇 초 정도 정지했다.

『창조주』인 리스테르카를 살해한 것처럼, 라피도 후길이 처리한 건가?

그녀를 구해줘야 하나?

미리 정해 둔 행동목표가 흔들려서 혼란에 빠진 순간.

배후의 수풀에서 부스럭대는 소리가 들렸다.

"큭―?! 저건 가짜야! 뒤를 조심해!"

아까 룩스가 간파한 것과 동일한, 인간으로 의태하는 능력을 가진 환신수 새도.

후길과 라피 자신을 본떠 만든 것을 미리 배치해둔 것이리라.

그것을 만들어서 미리 배치해둔 것이리라.

눈앞의 광경에 주목하게 해서 허를 찌르기 위해.

그 증거로 배후에서 드레스 차림의 젊은 라피가 나타났다.

미소를 머금고 도약해서 룩스에게 손날을 휘두른 순간, 룩스는 반사적으로 대검을 뽑아 휘둘렀다.

써걱……!

"헛……?!"

인간형 라그나뢰크 『성식』은 무시무시한 내구력을 자랑한다.

그걸 염두에 두고 힘을 담아 휘두른 일격에 동체가 쉽사리 양단되는 모습을 보고 룩스는 도리어 당황했다.

"당신을 이렇게 쉽게 속이다니. 이름뿐인 여왕이었던 저도 성장했군요."

"―?!"

아니었다.

룩스 일행 뒤에서 나타난 것이 미끼.

후길도 가짜였으며, 칼에 찔려 쓰러져 있던 라피가 진짜였다.

그녀의 달콤한 속삭임이 뇌를 침식한다. 의식이 몽롱해지면서 차츰 멀어진다.

"이런……! 대악마 이블리스의 정신오염을 쓰고 있어!"

에이릴이 상황을 파악했을 때는 이미 늦은 뒤였다.

이상한 상황을 연출한 목적은 속여서 기습하기 위한 것이 아니라 룩스 일행의 주의를 끌기 위해서.

그 뒤에 기다리고 있던 것은 오감을 통해 정신을 오염하는 라그나뢰크의 힘.

일곱 라그나뢰크의 힘을 전부 모은 최강의 라그나뢰크 『성식』의 능력이었다.

'라피 여왕의 자아가 돌아왔어. 설마—!'

"정답이에요, 룩스."

다정하고 달콤하게. 꼬드기는 듯한 목소리가, 라피의 속삭임이 뇌를 침식한다.

『성식』은 인간을 먹고, 그 의식을 통합해서 폭주한다. 점점 폭주한다.

그러나 사고할 수 있는 이성마저 잃은 것처럼 보였던 건, 전부 연기였다.

"돌려받겠어요. 제 딸을, 리샤를 당신에게 맡길 수는 없습니다."

피에 젖은 라피는 몸을 일으키며 표독하고 시꺼먼 미소를 지었다.

자신의 이해자이자 그녀가 살아가는 이유인 딸— 리샤.

그녀를 빼앗겼음을 알아차린 라피가 보여준 것은 증오와 분노.

혹은 사랑이라 불리는 감정이었다.

"아뿔, 싸…… 이젠……."

에이릴도, 세리스도, 리샤도 정신이 오염되어 의식이 멀어졌다.

오직 피르히 혼자만 그 상황에 저항하고 있었다.

"의외로군요—. 당신만은 제게 집중하는 걸 경계해서 눈을 감고 있었죠. 소리도 들리지 않나 보네요. 그것도 환신수의 힘일까요?"

"이젠 사라졌어, 여왕님. 내 안의 환신수는, 내 몸에 녹아들었어."

피르히가 『세례』로 얻은 육체강화 능력.

자신의 육체를 제어하는 힘을 활용하여, 신체 일부로 동화한 라그나뢰크의 씨앗을 조작해서 그것 자체를 분해했다.

따라서 피르히는 이제 환신수의 힘을 쓸 수 없다.

그래도— 그녀 본연의 강함은 잃지 않았다.

"그렇군요. 당신도 괴로운 숙명을 짊어졌었지요. 하지만 결국 구원받은 몸이에요. 저처럼 구원받지 못한 몸이 아니라."

"당신도, 구원받았을 거야. 그걸 깨닫지 못하고, 도망쳤을 뿐."

"……."

라피의 도발에도 동요하지 않고 피르히는 즉시 대답했다.

피르히는 이블리스의 정신오염에서 벗어나기 위해 의식적인 육체 조작으로 청각과 후각을 차단했다.

시각 쪽은 최소한으로 억제해서 라피의 입술이 움직이는 모양을 읽고 말을 이해하고 있었다.

"당신만은 알아줄 거라고 생각했는데 말이죠. 스스로 죄를 짊어질 수밖에 없었던 숙명의 괴로움을—."

『성식』과 융합한 라피의 본체가, 드레스 차림의 소녀가 천천히 걸음을 뗐다.

피르히는 라피의 그림자로 시선을 옮겨서 그 움직임을 읽고 활주했다.

콰아—!

대기의 벽을 뚫고 《티폰》이 폭발적인 속도로 활주한다.

달리기 직전에 하울링 로어를 방출해서 라피의 움직임을 견제.

직후에 양쪽 어깨에서 《용교박쇄》를 사출해서 라피를 공격했다.

—하지만 그 찰나, 라피의 모습이 눈앞에서 사라졌다.

피르히가 놀라며 눈을 살짝 크게 뜬 순간, 라피는 뒤로 돌아 들어갔다.

피르히의 뒤가 아니라, 뒤쪽에서 우두커니 서 있는 룩스 곁으로.

공간을 도약하는 순간이동.

라그나뢰크 데우스 엑스 마키나의 능력을 활용하여 라피는 방어에서 공격으로 태세를 전환했다.

"으⋯⋯?!"

"부럽네요. 저는— 그 같은 영웅이, 오빠 같은 영걸이, 될 수 없었어요. 이 몸을 괴물로 만드는 것 말고는, 이 나라를 지킬 방법이 없었지요."

라피는 손톱을 번쩍 빛내며 손날을 들어 올렸다.

《바하무트》를 두른 룩스의 목을 날려버릴 작정으로.

그 직후에 피르히는 팔꿈치에서 《파일 앵커》를 사출했다.

"—저나 룩스를 붙잡을 생각인가요? 하지만, 늦었답니다."

"……윽!"

피르히는 전력으로 앞을 향해 달리는 중이었기 때문에, 그만큼 뒤쪽과 거리가 벌어져서 와이어가 닿지 않았다.

따라서 라피는 자신이 공격받더라도 신경 쓰지 않고 룩스를 처리하면 될 뿐이었다.

"루, 우……!"

피르히가 비통하게 외친순간 라피가 손날을 휘둘렀다.

두꺼운 환옥철강 장갑조차 종잇장처럼 찢어발기는 라그나 뢰크의 육체로 룩스의 목숨을 거두려는 찰나.

촤앙……!

라피의 손날은 《바하무트》의 장벽만을 찢고 허공을 갈랐다.

손톱 끝이 목을 스치긴 했지만, 룩스는 간발의 차이로 몸을 틀어 공격을 피했다.

"—으윽!"

"하아아아앗!"

공허한 기운에서 벗어나 눈을 부릅뜬 룩스는 기룡을 반회전해서 몸을 비틀며 대검으로 라피의 등을 수평으로 베었다.

일반적인 환신수나 기룡이라면 반으로 갈라질 정도의 위력에, 라피는 나무를 여러 그루 부러뜨리며 멀리 나가떨어졌다.

"하아, 하아……! 고마워, 피이!"

"다행이야……."

그야말로 콤마 몇 초 차이로 룩스는 목숨을 건졌다.

손톱이 스친 목덜미 피부에서 붉은 피가 배어 나왔다.

"으윽, 저, 는……."

"무슨 일이, 일어난, 거냐……."

"나는, 대체ー."

세리스와 리샤, 그리고 에이릴이 정신오염의 영향에서 벗어
나기 시작했다.

"ー아하. 견제인줄 알았던 하울링 로어는 제가 내는 소리를
차단하는 게 목적이었군요. 주위 사람들의 정신오염을 풀어
주려고."

피르히의 의도를 깨달은 라피는 우거진 나무 너머에서 말했다.

정리하자면 다음과 같다.

이블리스와 싸울 때도 그랬지만, 『세례』를 받으면 정신오염
에 어느정도 저항할 수 있다.

그래서 라피는 기습적인 공격으로 정신오염에 성공했다.

그녀가 발산하는 소리, 빛, 촉각, 후각.

오감을 통해 진행되는 오염의 핵심 요소인 음파를 하울링
로어로 차단했다.

이로써 『세례』를 받은 룩스 일행이 제정신을 되찾을 수 있
었던 것이다.

'위험했어. 1초만 늦었어도 죽었을 거야……!'

완전체 『성식』의 무시무시함을 다시금 실감했다.

리스테르카가 남긴 말에서 추측하건대 이 상태의 『성식』을 쓰러뜨린 이는 존재하지 않는다.

하지만 쓰러뜨리지 않으면, 『고대의 숲』에 남아 있는 두 진영의 생존자들이 목숨을 잃게 된다.

룩스의 동료들도.

그렇다면— 이기는 것 외의 선택지는 없다.

자신들의 전력을 쏟아 부을 수밖에 없다.

"—훗."

소녀의 모습을 한 라피는 그런 룩스의 결의를 꿰뚫어 본 것처럼 비웃었다.

"어이가 없군요. 고작 이블리스 하나의 능력을 공략한 정도로 저항할 수 있으리라 생각하다니."

드레스를 입은 라피의 등에서 불꽃을 두른 날개가 뻗어 나왔다.

맨몸으로 매섭게 날아오르며 불꽃 깃털을 화살처럼 방출했다.

"—라그나뢰크, 피닉스의 화염능력이야!"

에이릴이 소리치는 동시에 불화살이 소나기처럼 쏟아졌다.

특수한 기름을 머금은 타오르는 깃털은 장갑에 박혀도 좀처럼 꺼지지 않는다.

맨몸에 박힌다면 그대로 끝장이다.

심지어 라피 자신의 방벽 역할을 하는 까닭에 공격하는 것조차 쉽지 않다.

"어마마마— 그만하세요! 당신은 지금 『성식』에 조종당하고 있는 거예요!"

리샤는 정신없이 공격을 피하면서 라피를 설득하려고 했다.

하지만 라피의 반응은 냉랭했다.

탁한 붉은색으로 물든 두 눈으로 리샤를 응시할 뿐이었다.

"리샤, 당신이야말로 속고있어요. 신왕국에 반기를 든 룩스 아카디아에게, 그에게 당신을 맡길 순 없습니다. 오직 저만이, 당신을 공주로서 이끌어 나갈 수 있답니다."

"큭⋯⋯!"

완전한 암흑의 사고에 물들어버린 라피의 선언에 리샤의 표정이 일그러졌다.

룩스를 포함한 거의 모두가 끊임없이 쏟아지는 화염 깃털에 발이 묶인 와중에, 빛의 영역이 한 점을 중심으로 펼쳐졌다.

"—《지배자의 신역^{디바인 게이트}》!"

세리스는 《린드부름》의 신장을 전개하여 순식간에 라피의 뒤쪽으로 이동했다.

하지만 그것조차 예측했는지 불꽃을 머금은 거대한 두 날개가 세리스를 사이에 끼우려는 것처럼 움직였다.

"그것도, 다 예상했습니다. 당신이 그렇게 반격하리라는 것도."

라피의 반격 동작을 확인한 세리스가 신속하게 《뇌광천창^{라이트닝 랜스}》을 휘둘렀다.

불꽃 날개를 받아치는 대신에 몸을 비틀어 피하고, 라피의 등을 향해 랜스를 힘껏 내찔렀다.

© Yuichi Murakami

"―기, 아아아아아악!"

라피가 고통스러운 비명을 터뜨리는 동시에 불꽃 날개가 사라졌다.

세리스가 『세례』를 통해 얻은 초월적인 반응력.

라피는 그 공격을 정통으로 맞았지만, 공격한 세리스 쪽도 내심 충격을 받았다.

'―뇌섬이, 통하질 않아!'

겉모습은 평범한 소녀처럼 보이는 탓에 착각하기 십상이지만, 라피의 육체는 환신수는커녕 라그나뢰크와 비교해도 초월적으로 단단했다.

마치 환신수 수백 마리가 응축된 것만 같은 반발력.

확실하게 핵을 노렸건만 피부를 조금 뚫는 정도에 그쳤다.

'하지만 뇌격에 직격당한 지금이라면!'

생물이건 기계건, 그 움직임을 일시적으로 봉쇄할 수 있다.

그렇다면 지금이 절호의 기회임에는 틀림없었다.

그렇게 생각한 세리스가 재차 뇌격을 꽂아 넣으려는 찰나―!

"세리스! 어마마마에게서 떨어져라!"

"큭……?!"

라피에게 꽂힌 《라이트닝 랜스》 끝부분이 얼어붙은 것을 깨달았다.

라그나뢰크 펜리르의 동결능력으로, 찔리는 순간에 얼음 갑옷을 두른 것이다.

"제법이네요. 사대 귀족의 딸 주제에."

라피는 흉악하게 웃으며 아무렇게나 팔을 휘둘러서 《린드부름》의 장갑을 후려쳤다.

겨우 그것만으로 장벽이 뚫리고 장갑 일부가 파손되어 나가 떨어졌다.

"크, 아앗……!"

"세리스 선배!"

라피의 반격은 조건반사 수준으로 가벼운 것이었지만, 터무니없는 질량의 위력이 담겨 있었다.

다른 거대한 라그나뢰크가 펼치는 필살의 일격과 크게 다르지 않았다.

—아니, 그 위력을 가볍게 웃돌았다.

룩스는 공중을 미끄러지듯 밀려나간 세리스를 구하려고 했지만, 옆에 있던 에이릴이 그를 말렸다.

"룩스 군! 그녀를 챙길 여유는 없어! 저 『성식』에게 선공을 허용하는 순간 죽게 될 거야!"

"……!"

에이릴이 말하지 않아도 룩스는 그 위기를 피부로 느끼고 있었다.

세리스를 공격한 라피의 틈을 노려 배후에서 대검을 휘둘렀지만 그 일격은 가볍게 튕겨나갔다.

"헉?!"

두꺼운 구체형 얼음 갑옷.

펜리르의 능력으로 만들어낸 방어벽은 잠시 닿았을 뿐인

대검의 표면마저 얼려버렸다.

만약 기룡이 직접 접촉한다면 단 몇 초 만에 몸까지 얼어붙을 것이다.

그 정도로 위협적인 힘이었다.

"리샤 님, 원거리 공격을……!"

"알고 있다!"

하지만 얼음 갑옷을 형성했다는 건 움직임이 둔해졌다는 증거.

순식간에 판단을 마친 리샤가 《세븐스 헤즈》로 포격했다.

—그러나 명중한 순간, 라피의 모습이 사라졌다.

"당신부터 시작할까요, 『창조주』. 《자하크》의 『잊게 하는』 신장은 성가시니까요. 쓰기 전에— 처리하겠어요."

"큭……?!"

코앞까지 접근한 라피를 보고 에이릴은 재빨리 후방으로 달아나려 했다.

그녀의 《용인광편》은 중거리용 무기라서 민첩한 공격이 쉽지 않기 때문이었으나—

이 또한 라피가 예상한 범주였다.

"—위그드라실."

라피의 손끝에서 뾰족한 식물 뿌리 몇 가닥이 창처럼 뻗어나와 에이릴에게 육박했다.

거미줄처럼 펼쳐진 뿌리를 다 피하지 못한 에이릴은 창의 먹잇감이 되었다.

"크,윽……?!"

간발의 차이로 옆구리를 틀어서 치명상을 피했지만, 그 대가로 손과 발을 관통당했다.

전투 속행이 불가능할 정도의 격통이 에이릴에게 엄습했다.

"에이릴!"

"룩스 군, 지금, 이야……!"

에이릴이 고통스럽게 신음하는 동시에 《자하크》의 장갑이 해제됐다.

"—."

그 순간, 멀리 떨어져 있던 룩스가 눈에 비치지도 않는 속도로 맹렬하게 라피에게 돌격했다.

"—《폭식》? 대체 언제…… 아하."

에이릴이 당한 건 뼈아팠지만, 어떻게든 신장 발동은 늦지 않았다.

아니, 어떻게 보면 이상적인 상황이었다.

대상에게서 특정한 기억정보를 빼앗는 《자하크》의 신장 《雙두의 사지》브레인 핵로, 바로 몇 초 전에 룩스가 신장을 발동했다는 기억을 지금 막 라피의 머릿속에서 지워버렸다.

지금 라피는 꽤 멀리 있던 룩스의 공격은 경계하지 않고 있다.

그 틈을 놓치지 않고 가속한 룩스의 영구연환엔드 액션이 그녀에게 작렬했다.

—터엉! 두두두두두두두!

단 한순간도 멈추지 않는 필살의 연격을 무시무시한 속도로 퍼부었다.

라피는 라그나뢰크 포세이돈의 무한한 재생력을 가지고 있다.

생명력이 남아있는 한 고작 몇 초 만에 재생하는 불사성을 깨부수려면, 그 회복능력을 능가하는 속도와 파괴력으로 밀어붙일 수밖에 없다.

에이릴과 용성으로 미리 협의하고, 에이릴이 먼저 당해버릴 가능성을 고려해서 빠른 연계를 선택했다.

"—하아아아아아……!"

그리고 지금의 룩스는 『세례』로 집중력을 압축하여 신장과 오의를 동시에 사용할 수 있다.

그 가공할 연격은 초월적으로 단단한 라피의 피부를 뚫고, 찢고, 뼈를 부러뜨렸다.

겉모습만은 인간인 생물이 난도질당하는 처참한 광경에 리샤는 고개를 돌릴 뻔했지만 가까스로 참아냈다.

'외면하면 안돼. 룩스를 지원해야 하잖아! 괴로움 같은 건 나중에 느끼면 돼!'

소나기처럼 쏟아지는 룩스의 연격은 단 몇 초 만에 수백 번을 넘기지만, 언젠가 끝나 순간이 온다.

그것으로도 『성식』의 핵을 파괴하지 못한다면 《천성》과 《세븐스 헤즈》의 콤보로 결정타를 가할 수밖에 없다.

그 기회를 가늠하기 위해, 리샤는 자세를 잡았다.

피르히도 《티폰》으로 활주해서 룩스의 뒤를 쫓아 원호할 준비를 했다.

그리고 마침내 룩스가 휘두르던 《카오스 브랜드》가 『성식』의 핵을 노출시켰다.

이미 《폭식》의 초가속 시간은 끝났지만, 아직 호흡에는 여유가 남아 있었다.

"……룩, 스…… 도와…….”

살이 뜯겨 나가 만신창이가 된 라피의 목소리가 희미하게 닿았지만, 룩스는 이를 꽉 물고 마음을 독하게 먹었다.

정에 휩쓸려서는 안된다.

그녀는 이미 라피가 아닌 다른 존재로 변했다.

여기서 쓰러뜨리지 못하면 두 번 다시 이길 수 없다.

그 결의를 담아 무심하게 대검을 내려쳤다.

각오는 한참 전에 끝났다. 새삼스럽게 망설일 것도 없었다.

당연히 모든 반격도 고려했다.

이렇게 공격당하는 동안에는 라그나뢰크 메타트론의 반사 공격도 불가능할 터다.

하지만.

'―뭐지? 이 감각은…….’

《바하무트》를 조작하는 룩스의 양손에 기묘한 감각이 전달됐다.

기룡을 두르고 있는데, 자기 손으로 직접 살을 찢는 듯한 착각.

드레스가 찢어지고 내장이 드러난 라피의 전신이 환마인^{녹터널}처럼 까맣게 변해 있었다.

붉게 번뜩이는 두 눈이 룩스를 비웃었다.

"결국— 당신은 구해주지 않는군요. 자신에게 이익이 되는 사람이 아니라면."

라피의 입에서 나오는 목소리가 아니었다.

사념이 직접 뇌에 울렸다.

그럼에도 룩스는 멈추지 않았다. 힘이 바닥나는 그 순간까지, 핵을 파괴할 때까지 쉬지 않고 검을 휘둘렀을 터였다.

"—훌륭합니다, 룩스."

"큭……?!"

별안간, 전신이 칠흑빛으로 물든 라피가 룩스를 보고 웃었다.

어느 틈에 영구연환의 공격을 피해서 대검이 허공을 갈랐다.

잠시도 눈을 떼지 않았는데, 어째서.

"당신은 최선을 다했습니다. 리샤에게 저를 쓰러뜨리는 역할을 맡기지 않기 위해서. 그리고 이 나라를 손에 넣기 위해서, 『성식』과 한 몸이 된 저를 쓰러뜨릴 각오를 다졌고, 망설이지 않았지요."

바로 옆에 있는 라피의 목소리가 멀게 느껴졌다.

직후, 그녀가 휘두른 날씬한 팔이 《바하무트》의 장갑에 꽂혔다.

쿠웅!

"커헉……?!"

제때 회피하지 못해서 라피의 주먹이 직격했다.

강화된 장벽을 종잇장처럼 간단히 뚫고 일격에 《바하무트》를 격추했다.

"말도, 안 돼!"

한편, 장갑이 해제된 후 바위 그늘에 숨어있던 에이릴은 룩스에게 무슨 일이 일어난 것인지, 전황을 얼추 이해했다.

불가능하다고 생각했던 룩스에 대한 반격을 성공한 것은 라피가 라그나뢰크의 능력 세 가지를 병용한 덕분이다.

포세이돈의 무한 재생력으로 회복하면서 위그드라실의 강화대응 능력으로 조금씩 육체를 강화.

마지막으로 《바하무트》의 대검 너머로 룩스가 느끼는 살을 베는 『촉각』으로 이블리스의 정신오염을 사용했다.

『세례』로 내성을 얻어 집중하고 있는 룩스에게는 효과가 미미할테지만, 초당 수십 번에 달하는 참격으로 미미한 효과를 보충했다.

물론 그 능력에 집중할 수 없었기 때문에 시간이 걸리기는 했으나, 룩스는 확실하게 순간적으로 의식을 잃고 라피가 피할 틈을 주고 말았다.

"룩스 군, 정신 차려……! 네가 당하면, 이제—."

에이릴은 결사적으로 눈이 쌓인 숲을 가로질러 룩스에게 달려갔다.

그러나 추락한 룩스의 《바하무트》는 이미 해제되어 있었다.

"—윽! 《천성》^{스프레서}!"

그 순간, 타이밍을 가늠하던 리샤가 라피를 향해 《티아마트》의 신장을 발동했다.

원래부터 룩스의 공격이 끝났을 때 지원할 생각이긴 했지만, 평범한 사람이라면 즉각 짓뭉개질 위력의 중력장 속을, 라피는 산책이라도 하듯 걸었다.

"저게 무슨……?!"

전신이 까맣게 물든 라피는 온화하게 미소지었다.

그리고 리샤를 표적으로 정하자 중력장을 뿌리치고 도약했다.

"—아하하하하하하하하하!"

박찬 지면이 원형으로 부서지며 함몰됐다.

라피는 몇 배의 중력을 받는 상태로 하늘에 떠있는 리샤에게 맹렬하게 달려들었다.

하지만 그 중력장을 빠져나온 순간, 뱀의 턱처럼 생긴 와이어 끝부분이 라피의 등을 물었다.

태세를 정비하고 숲속에서 기회를 엿보던 피르히의 지원 공격이 작렬했다.

"《용교박쇄》."
파일 앵커

육전형 신장기룡의 압도적인 파워에 라피는 지상으로 끌어내려질 것이다.

리샤가 그렇게 생각한 찰나, 이상한 일이 일어났다.

라피는 고속으로 되감기던 와이어 윈치를 공중에서 잡아당겼다.

상당한 중량을 자랑하는 《티폰》이 둔중한 소리를 내며 공중으로 끌려 올라갔다.

와이어를 잡아당겨 피르히와 거리를 좁힌 라피는 주먹을 들어올렸다.

"—제발 그만해, 어마마마!"

리샤가 외쳤을 때는 이미 공격이 끝난 뒤였다.

"—윽?!"

힘싸움에 밀려 공중으로 끌려간 피르히는 주먹 한방에 대지에 처박혔다.

마침내 싸울 수 있는 사람은 리샤 한 명만 남게 되었다.

틀림없이 무자비하게 몰아붙일 거라고 생각했던 라피가 불현듯 온화한 표정을 지었다.

그리고 상냥하게 타이르는 것처럼 리샤를 보며 말했다.

"리샤, 전부 다 용서하겠어요. 룩스에게 속아 넘어간 당신을. 저 역시 웨이블러에게 속아본 몸이에요. 어떤 마음인지 잘 안답니다."

"……"

아직 인간의 의식이 남아 있는 것인지, 아니면 리샤와 마주하고 어머니로서의 일면이 강하게 발현된 것 인지는 알 수 없었다. 하지만 자아를 잃었을 터인 라피와 기적적으로 대화가 성립하는 것 같았다.

"어마마마— 당신은 어째서 이런 짓을 하신 거죠?! 사람들의 기억을 지우고, 방해되는 사람을 무자비하게 처리하다니. 그게 진정 당신이 꿈꾸는 이상적인 새로운 나라의 모습이었던 건가요?!"

비통한 리샤의 외침에 라피는 대답하지 않았다.

그저 미소를 유지한 채 자신의 생각을 내뱉을 뿐이었다.

"당신은, 저와 함께 신왕국을 지키겠다고 맹세했어요. 그 누구보다도 약했고, 괴로웠고, 고독했던 저를 이해하고 곁에 있어줬지요. 아이를 갖지 못한 저를 어머니라 불러줬어요."

이 『고대의 숲』에 하염없이 내리는 눈처럼.

한마디 한마디에 마음을 담아 말하며 라피는 리샤를 바라보았다.

"기뻤어요. 든든했지요. 당신이 딸이 되어준 덕에 구원받았답니다. 그래서 지키지 못할까봐 두려웠어요. 『성식』이 이 몸에 깃든 것도, 분명 그 기적인 거겠죠."

"설마, 어마마마는—."

"네. 제가 지은 죄가 만천하에 드러나 아무것도 아니게 된다는 두려움보다도, 당신과 함께 새로운 나라를 만들어 나가는 길을 잃는 게 무서웠어요. 그래서 적대자를 처리했지요. 어차피 인간은 어리석고 약한 존재예요. 잃는 것을 두려워하고, 실패하는 것을 두려워하고, 위험을 무릅쓰는 것을 두려워하고, 타인을 헐뜯고 핍박하지요. 제가 그리던 신왕국도, 그렇게 빼앗길 뻔했어요. 그러니까—."

라피는 진홍색 눈으로 리샤를 바라보며 말을 이어 나갔다.

"—저를 위해서, 당신을 위해서, 앞을 막는 모든 적을 섬멸해야 합니다. 그리고 사람들의 기억을 지우는 것이죠. 그리하면 저와 당신은 완벽하게 이상적인, 평화로운 신왕국의 왕이될 수 있어요. 다시는 누군가에게 빼앗길지도 모른다는 두려움에 떠는 일도 없을 테고요."

"어마마마……."

고양되어 열변을 토하는 라피의 표정을 보고 리샤의 얼굴이
어두워졌다.

―슬펐다.

라피와 비슷한 처지를 겪었던 리샤는 그녀의 마음을 뼈저리
도록 이해했으니까.

만약 자신 앞에 룩스가 나타나지 않았다면.

만약 자신이 아버지를 배신한 사실을 폭로당했다면.

무력한 탓에 그 운명을 뒤집을 수 없었다면.

힘겹게 찾아낸 살아갈 이유를 포기할 수 없었을지도 모른다.

『성식』같은 압도적인 힘에 삼켜졌을지도 모른다.

"이제 절 쓰러뜨리는 게 불가능하다는 걸, 당신이라면 잘
알겠지요?"

룩스의 공격을 일부러 맞아 준 라피의 몸은 위그드라실의
능력 덕분에 극한으로 강화됐다.

이제는 《티아마트》 한 기로 저항해봤자 부질없는 짓일지도
모른다.

승산이 말도 못하게 희박할지도 모른다.

"리샤, 당신이 검을 버리고 투항한다면, 다음 세계 개변이
성공할 때까지 방해하지 않겠다면, 여기 있는 모두를 놓아주
겠어요. 한 나라를 지키는 공주로서 무엇이 올바른 판단인지
알고 있지요?"

"저는—."

리샤는 자신이 신왕국의 공주라는 자각을 하면 할수록, 체제를 지키는 게 얼마나 어려운 일인지를 깨달았다.

때로는 타협하고, 무언가를 팔아넘기지 않으면 유지할 수 없다는 것도.

그러나—.

"어마마마, 저는 끝까지 당신 편이에요."

그 말을 항복 선언으로 받아들인 라피는 짙은 미소를 지었다.

하지만 다음 순간, 사방팔방에서 날아드는 《레기온》을 보고 두 눈을 부릅떴다.

까앙!

투척 병기는 라피를 강타했지만 위그드라실로 강화된 육체에는 생채기 하나 나지 않았음은 물론이고 미동조차 하지 않았다.

리샤가 거절했다는 사실을 인식한 라피의 눈가에 그늘이 졌다.

"조작을 실수한 건가요? 아니면 방금 한 말이 거짓말이었던 건가요?"

"둘 다 아니야, 어마마마. 당신과 나는 맹세했어! 둘 중 누군가가 잘못된 선택을 한다면 그걸 깨닫고, 지적하고, 막겠다고! 나는 당신을— 배신하지 않아! 반드시 막아내겠어!"

다시 혼신의 《천성》을 발동해서 라피의 움직임을 아주 잠시 방해했다.

그 모습을 본 룩스는 남은 힘을 모아 몸을 일으켰다.

"룩스 군, 무리야. 무모한 짓 하지 마!"

"무모한 짓이 아니야……. 나는 가야만 해. 리샤 님을, 지켜 드려야—."

절망적인 위기 상황.

그럼에도 불구하고 자신이 모시는 주인을. 리샤의 행동을 본 것만으로 힘이 샘솟았다.

그녀에게 진실을 밝히지 못하고 고독하게 싸웠던 때와는 다르다.

지금은 룩스와 의지를 공유하는 사람이 있다.

함께 길을 걷는 사람이 있다.

그것만으로도 힘이 용솟음쳤다.

다시 기공각검을 쥐고, 호흡을 가다듬었다.

아직 움직일 수 있다.

그리고 『성식』에게 그만한 공격을 가한 것은 무의미한 짓이 아니었다.

아무리 포세이돈이 무한히 재생하고 위그드라실이 무한히 강화한다 해도, 그 몸에 저장된 에너지는 유한하다.

세리스와 피르히와 에이릴과 리샤.

그리고 룩스. 이 다섯 명이 힘을 합쳐 맞서 싸운 것은 결코 무의미한 짓이 아니었다.

그래서 룩스는 자신을 껴안으며 만류하는 에이릴을 밀어내고 미소를 지었다.

"……나는 아직, 싸울 수 있어. 나 자신의 의지로, 아직 할 수 있어."

다시 『세례』를 통해서 압축한 집중력과 얼마 안 남은 미미한 힘을 그러모았다.

그야말로 사력을 다해 쥐어짜도 앞으로 일격이 한계이리라.

하지만 그 일격을 시도하는 것에 망설임은 없었다.

지금의 자신이라면 해낼 수 있다고 확신했다.

다시 《바하무트》를 소환해서 기공각검을 힘껏 쥐었다.

조율— 모든 기룡의 제한을 해제하는 『한계돌파』를 기동하려고 했지만, 그러기 위한 집중력조차 부족했다.

바로 그때, 뒤쪽에서 희미한 소리가 들렸다.

"—《공정요새》!"

"아직도 무의미한 발버둥을 칠 생각인가요? 그런 시간벌이에 어울려줄 정도로 한가하진 않은데요."

리샤가 투척한 《레기온》을 라피는 맨손으로 후려쳐서 파괴했다.

극한까지 강화된 라피에게, 이제 어떤 공격도 통하지 않는다.

"그럼 이건 어때! 《천성》!"

"다 소용없는 짓이라니까요, 리샤. 당신의 공격은 통하지 않아요. 잠시 얌전히—?!"

리샤를 향해 날아가던 라피의 얼굴에 의문이 떠올랐다.

고중력이 아니라 주위를 무중력으로 만드는 《천성》을 걸었다.

공중에 떠 있는 상태에서는 무언가 잡을 만한 것도 없기 때문에 이동이 봉인된다.

그래도 라피는 전혀 걱정하는 기색이 없었다.

"이 정도로 절 잡아 둘 수 있을 것 같나요?"

"아니? 내 힘으로는 지금의 어마마마를 이길 수 없다는 걸 똑똑히 알고 있어."

리샤는 당당하게 웃으면서, 그럼에도 《세븐스 헤즈》의 포구를 라피에게 향했다.

체력을 고려했을 때 최후의 공격이 될 그 일격을 전력으로 해방했다.

"하지만 우리는 지지 않아! 뒷일은 맡기마, 룩스!"

"……훗, 그런 짓을 해봤자—."

부우웅—.

라피의 모습이 사라지더니 리샤 뒤쪽으로 순식간에 이동했다.

라피의 내구력이라면 직격당해도 생채기 정도밖에 안 생기겠지만, 무중력 상태에서 포격을 맞으면 멀리 밀려난다.

그게 싫었던 라피는 즉각 순간이동을 써서 무중력 지대에서 벗어났지만—.

바로 그 순간, 최강의 불사신으로 거듭난 라피가 명확한 살의를 느끼고 공포심에 사로잡혔다.

"큭—?!"

무방비한 리샤의 배후로 이동한 라피의 등 뒤에, 어느 틈에 한 명의 기룡사가 자리 잡고 있었다.

매끄러운 흑발을 휘날리는 미지의 요염함을 풍기는 암살자 소녀.

자동인형과 싸우다가 부상당한 그녀가 복귀해서 여기까지 온 것이다.

"—키리히메, 요루카? 대체 언제, 무슨 수로—?"

특장형 신장기룡 《야토노카미》의 사용자인 그녀는 지상에서 십여 메르 높이인 이곳까지 올 방법이 없을 거라고 라피는 생각했다.

아니, 엄밀히 따지자면 《공답》이라는 《야토노카미》의 기구를 활용해서 공중을 박차면 가능이야 하겠지만, 이 고도에 도달하려면 시간이 걸리므로 그전에 라피가 확실하게 알아차릴 수 있을 터다.

"설마—."

"네. 그 설마랍니다."

1초도 되지 않는 찰나. 라피는 요루카의 말을 들은 듯한 기분이 들었다.

조금 전의 《천성》은 요루카를 알아차린 리샤가 그녀를 돕기 위해 발동한 것이었다.

주위의 중력을 극한까지 줄이면 땅을 박차는 동작 한 번에 라피가 있는 고도까지 《야토노카미》로 상승할 수 있다.

그리고 라피의 시야를 차단하고 굉음으로 요루카의 기척을 숨기기 위해서 리샤는 남은 힘을 포격에 쏟아부었다.

"—각격."

등 뒤에서 『성식』의 핵을 노린 《야토노카미》의 일섬이 번뜩

인다.

의식이 끊기는 순간을 노려 공격하는 요루카의 독자적인 필살검.

하지만 이미 전신이 극한까지 단단해진 라피는 동요하지 않았다.

어떤 공격을 맞더라도 상처 하나 입지 않을 자신이 있었다.

"대체 몇 번을 말해야 알아들을 건가요? 당신들 따위가 아무리 떼를 지어 덤벼들어도, 『성식』은— 이길 수 없다고요!"

공격을 받은 직후, 라피가 양팔을 좌우로 뻗어 반격했다.

위그드라실의 뿌리를 뻗어 리샤와 요루카를 동시에 공격했다.

"—?!"

채찍처럼 휘어지는 위그드라실의 뿌리가 두 기룡의 환창기핵이 내장된 어깨를 정확하게 강타했다.

그로 인해 출력이 떨어진 두 신장기룡이 하강하기 시작했을 때.

"—큭?!"

아래로 보이는 지상.

라피는 눈이 얕게 쌓인 신전터에서 자신을 올려다보며 조준을 고정하는 자가 있음을 알아차렸다.

룩스 아카디아.

라피가 조금 전에 전투 불능으로 만들었던 소년이 다시 《바하무트》를 두르고 하늘을 노려보고 있었다.

"어떻게……?"

그 기세를 확실하게 꺾어버렸는데. 그의 전력마저도 뛰어넘었는데.

자신은 세계를 멸망시킬 수 있는 『성식』과 후길을 아군으로 두었는데.

"어째서, 어째서 아직도 일어설 수 있는 건가요? 맞설 수 있는 건가요?"

라피의 독백에 대답하는 사람은 없었다.

그저 리샤와 요루카가 공중에서 떨어지기 시작한 찰나, 빛의 화살 같은 한줄기 섬광이 라피를 꿰뚫었다.

"—하아아아아아아아아앗!"

쩌엉!

충격이 라피의 흉부를 관통하고, 대기를 찢는 소리가 울려 퍼졌다.

『한계돌파』를 사용한 《바하무트》의 초가속도 버틸 수 있는 정도를 유지하고 있던 라피의 육체가, 단 일격에 쉽사리 파괴됐다.

"—크, 으으으윽?!"

그 직후에 라피는 이성을 되찾았다.

라그나뢰크의 눈으로 룩스의 행동은 확인할 수 있었다.

『한계돌파』 상태로 《폭식》을 발동해서 십여 배로 압축강화한 것은 시간이 아니었다.

같은 가속이긴 하지만 아까와는 다르게 《바하무트》의 비행 추진력을 폭발적 강화했다.

그것도 『한계돌파』로 리미터를 해제하고.

당연하지만 『세례』를 받아 강화된 육체가 아니라면 그 부하를 버티지 못했을 것이다.

따라서 시간만을 가속했던 이제까지의 연속 공격과는 위력의 차원이 달랐다.

시간의 흐름이 가속된 것이 아니라 룩스와 《바하무트》 자체가 수십 배나 가속됐다는 건, 속도에 비례해서 파괴력도 몇 배나 증가했다는 뜻이다.

그 파괴력이— 위그드라실의 능력으로 육체가 강화된 라피의 내구력을 웃돌았다.

'설마, 설마 그럴 리가……'

룩스가 여기까지 계산했을 거라고는 도저히 생각할 수 없었다.

그럴만한 여유를 이미 만신창이가 된 그에게 주었다고도 생각하지 않았다.

그러나 라피에게 펼친 영구연환과 시간 가속을 동원한 초월적인 연속참격.

그 공격마저 룩스의 시나리오라면—.

"아아……!"

라피가 올려다본 하늘 저 높은 곳에서 칠흑의 신장기룡이 춤을 추었다.

『검은 영웅』.

일찍이 구제국을 무너뜨린 전설이 『성식』을 꺾고, 파괴했다.

절망의 늪에 빠져 있던 자신에게 환희의 꿈을 보여준 존재가, 세계를 재창조할 수 있는 만능의 기적이, 인간의 손에 의해 부서졌다.

"말도, 안 돼……. 어째서—."

하늘에서 땅으로 떨어지는 자신을 받아주는 이는 없었다.

추락한 충격으로 흩어지는 눈.

몸이 붕괴되기 시작한 라피 위로 조금씩 눈이 쌓이기 시작했다.

악인의 마음 속 죄를 덮어 숨기려는 것처럼.

†

"윽……!"

한편 라피를 단 일격으로, 전광석화의 화살이 되어 초가속 일섬으로 쓰러뜨린 룩스도 전신이 만신창이가 됐다.

공기의 벽을 돌파하여 상승한 압력, 고열, 기룡의 가동 영역을 넘어선 프레임의 반동에 의한 부담. 체력 소모.

그 모든 것이 전신에 빚으로 돌아와 룩스에게 격심한 대미지를 주었다.

《카오스 브랜드》가 부러지지 않은 건 다행이지만, 더는 장갑기룡을 두르고 있을 수가 없었다.

하지만 룩스의 입가에는 만족스러운 웃음이 걸려 있었다.

혼자서는 결코 라피를─『성식』을 쓰러뜨릴 수 없었다.

조율을 쓸 여력조차 없었던 룩스의 《바하무트》가 『한계돌파』를 발동할 수 있었던 것은 조금 전에 달려온 요루카의 《금주부호》 덕분이다.

그리고 단독 전투가 특기인 요루카와 연계해서 리샤는 라피의 의식을 자신에게 집중시켰다.

에이릴과 세리스, 피르히가 시간을 벌어준 덕분이었다.

모두가 이 자리에 모이지 않았다면 쓰러뜨리지 못했을 것이다.

모든 힘을 쏟아낸 룩스는 이제 자신의 몸을 지키는 것조차 불가능하다.

하지만─.

"룩스!"

"루우."

어떻게든 자세를 가다듬은 세리스가 우선 공중에서 룩스를 받아내고 충격을 완화하며 낙하.

마지막으로 피르히가, 두 사람 모두 자신의 신장기룡을 두른 채 받아냈다.

"하아……."

그 모습을 본 에이릴은 안도의 한숨을 내뱉으며 쓰러졌다.

그 직후에 세리스와 피르히의 기룡도 해제됐다.

이렇게 뛰어난 기룡사들이 모였건만, 단 한 명도 여력이 남아 있지 않았다.

그만큼 이 『성식』과의 사투가 엄청났음을 시사했다.

"고맙, 습니다……. 세리스, 선배. 피, 이……."

"예의를 차릴 필요는 없어요. 그보다도 지금은 푹 쉬세요."

룩스를 안아 일으키며 중얼거리는 세리스의 옆에서, 마찬가지로 초췌해진 리샤가 걷기 시작했다.

조금 전에 『성식』의 핵이 파괴된 라피가 추락한 지점을 향해서.

"리샤……! 어딜 가는 겁니까?!"

"나는, 끝까지 지켜봐야 해…… 공주로서, 딸로서, 어마마마를—"

"윽……?!"

그 말을 듣고서 룩스도 따라가기 위해 일어나려고 했다.

하지만 다리에 힘이 들어가지 않아 걸을 수가 없었다.

버둥대고 있으니 피르히가 말없이 룩스에게 어깨를 빌려줬다.

"……윽!"

"리샤……! 정신 차리세요!"

세리스는 한순간 피르히와 룩스를 복잡한 시선으로 보았지만, 먼저 출발한 리샤가 쓰러지려고 하자 급히 그쪽으로 달려가 어깨를 빌려주었다.

그리고 룩스 일행 네 사람은 라피에게 다가갔다.

자신들이 지켜야만 하는 신왕국의 첫 번째 여왕.

구제국의 희생자였던 여왕을.

†

"어마마마! 정신차리세요!"

이제 라피의 눈에는 아무것도 보이지 않았다.

자신의 반쪽인 『성식』을 잃은 몸은, 내리는 눈에 점점 온기를 빼앗겼다.

그 차가움조차도 이젠 느껴지지 않았다.

모든 것이 어둠 속으로 녹아드는 가운데, 라피는 리샤의 목소리를 들었다.

"어마마마!"

'아아⋯⋯.'

그 누구에게도 가치를 인정받지 못하고, 이용당하고, 배신당하고.

누군가의 영광을 칭송하며, 그 그림자를 이어받았을 뿐인 존재.

비참한 운명 속에서 살아온 라피에게는, 리샤와 만난 것만이 유일한 구원이었다.

"무사, 했군요. 다행이에요⋯⋯."

자연스럽게 그 말이 가장 먼저 튀어나왔다.

그녀가 죽지 않아서 다행이다. 불행해지지 않아서 다행이다.

『성식』과 분리되어 정신에 영향을 받지 않게 된 덕분에, 라피는 진심으로 그렇게 생각했다.

"하지만 저는, 당신에게 그렇게 불릴 자격이 없어요. 『성식』

에 기생당한 뒤로도, 한동안 제 의지로 움직였으니까요. 제 의지로, 저지른 짓이니까요……."

눈을 감은 채 말하는 라피의 몸이 발 밑부터 무너지기 시작했다.

"자격따위는 중요하지 않아! 내가, 당신을 그렇게 부르고 싶을 뿐이야! 내 괴로움을 알아주고, 지탱해준 당신을!"

"……그런, 가요. 상냥하군, 요. 당신은."

비통한 리샤의 외침에, 라피는 눈을 감은 채 눈물을 흘렸다.

지배하는 쪽에 서지 못하면 불행한 것이라고, 줄곧 믿어 의심치 않았다.

그러나 모든 힘을 잃었음에도, 그녀가 지켜봐주는 것은 여전히 행복했다.

"당신에게라면, 전부 맡길 수 있어요……. 룩스와, 당신이 신뢰하는 사람들과, 부디 행복하기를……. 리샤, 사랑합니다. 내 딸이 되어준, 당신을—"

"네…… 어머니."

대답한 리샤는, 뺨을 따라 흘러내리는 눈물을 숨기려는 듯이 고개를 숙였다.

그리고, 라피는 검은 재가 되어 소멸했다.

© Yuichi Murakami

"—."

소리 없이 내리는 눈이 전장에 쌓여간다.

모든 흔적을 뒤덮어 숨긴다.

통합된 사람들의 사념의 집합체였던 『성식』과의 사투를 벌인 흔적을.

소중한 존재를 잃은, 마음의 고통을 덧칠한다.

라피의 최후를 지켜본 후, 룩스 일행은 일단 남겨두고 온 멤버들과 합류하기 위해 통신을 보내려고 했다.

하지만.

"—아무래도 제때 도착한 것 같구먼."

롤로트가 조종하는 《드레이크》의 어깨 위에 무릎을 모으고 앉아 있는 마기알카가 아이리와 트라이어드, 그리고 『칠용기성』 멤버를 지휘하고 있었다.

"마기알카, 대장⋯⋯. 왜 여기에⋯⋯?"

"뭐, 그대들을 실컷 들볶은 주제에 마지막 싸움을 모르는 척하는 것도 좀 그렇지 않은가? 남은 『창궁사단』 녀석들을 시켜서 지원 물자를 가져왔다네. 이정도면 그런대로 도움이 될게야."

싱긋 웃는 마기알카 뒤쪽에서 십여 명의 기룡사들이 나타났다.

몰래 이곳을 찾아온 마기알카는 라피로 의태한 섀도에게 공격당했지만 요루카가 가뿐히 처리해줬다고 한다. 마찬가지로 『셸터』에 남은 아이리 일행을 습격한 적도 격퇴해주었다.

그 외에도 이 『고대의 숲』에 들어온 사대 귀족의 부하 기룡사들도 무사히 회수한 듯했다.

"감사합니다, 정말로……."

여력이 없는 룩스는 힘없이 미소지었다.

룩스의 손길이 닿지 않는 곳에서 마기알카 일행이 큰일을 해주었다.

"말은 그렇게 하면서, 사실은 오빠가 『성식』을 쓰러뜨릴 때까지 기다린 거 아냐? 타이밍이 너무 좋은데."

"확실히 그렇군. 의외로 『대성역』의 유산을 아직도 노리고 있는 거 아냐?"

메르가 도끼눈으로 마기알카를 째려보며 중얼거리자 그라이퍼도 건들거리는 어조로 맞장구쳤다.

"이보게들, 가끔은 내 말을 좀 믿어보게! 함께 싸운 동료 아닌가!"

"당신이 그러면 괜히 더 수상해 보이는데……."

"강조하면 강조할수록, 말이지."

마기알카가 반론하자 로자와 소피스가 이어서 딴죽을 걸었다.

너무나도 길고 괴로웠던 사투의 종언을 알리는 것처럼 룩스 주위의 분위기가 갑자기 확 누그러졌다.

이리하여 『성식』의 폭주를 성공리에 막아냈다.

신왕국을, 세계를, 일단은 지켜냈다.

"룩스 군, 일단 치료랑 휴식부터 하자. 서두르라고 채찍질하는 것 같아서 미안하지만……."

"응, 『대성역』의 중추에 들어가야지. 그리고— 중추와 누군가가 접속해야만 해."

중추와의 접속.

그것은 『대성역』 시스템에 인정받은 사람만이 얻을 수 있는 권한이다.

이 이상 『성식』이 부활하지 않도록 봉인해야만 한다.

그리고 하나 더 중요한 결정을 해야 한다.

『아카이브』에서 얻은, 고대의 아샤리아가 남긴 의사 인격의 기록을 열어 나머지 이야기를 확인할 것인지.

현재 룩스의 시야에 자동인형 아샤리아는 보이지 않았다.

어디선가 룩스 일행을 감시하고 있거나, 혹은—.

"후길……."

지금 이 『고대의 숲』에 없는 형의 이름을 불러보았다.

이 세계의 천칭을, 인간의 미래를.

『성식』과 함께 조종하는 신이나 다름없는 존재와 룩스는 다시 맞서야 할 것인가.

『모형 정원』에 『그랑 포스』를 설치하러 간 후길이 이곳에 돌아올 때까지 대략 몇 시간의 유예가 있다.

그 안에 마음을 정해야만 했다.

마지막 휴식과 동료들과 대화할 기회가 찾아왔다.

■작가 후기

드디어 18권까지 왔네요.

항상 감사합니다. 아카츠키입니다.

이제 곧 연호가 바뀌게 되는데요. 개인적으로는 외워야 할 게 하나 늘어나게 되니까 서류를 작성할 때 실수하지 않았으면 좋겠네~하는, 그 정도 느낌밖에 안 듭니다. 곤란하네요.

그런데 가만 생각해보니 『바하무트』도 헤이세이 출생이니까 연호를 두 번 경험하게 되는군요.

그렇게 보면 뭔가 굉장하다고 해야 하나, 아마 앞으로 두 번은 경험하지 못할 진귀한 상황에 맞닥뜨리게 되는 걸지도 모르겠네요.

아무튼 시리즈가 이만큼 계속된 것은 감사한 일입니다.

드디어 이야기도 클라이맥스에 접어들었는데, 마지막까지 힘차게 달려나갈 수 있으면 좋겠습니다.

뜬금없지만 캐릭터의 탄생에 대해서 조금 해설하자면, 이번 표지인 『키리히메 요루카』는 다른 히로인들과 다르게 완전히 제 취향으로 태어난 캐릭터입니다. 다른 캐릭터들도 물론 좋아하지만, 요루카는 특히 그런 요소를 꽉꽉 눌러 담았죠.

이 세상에 적응하지 못하는, 하지만 그녀 나름의 신념을 가슴에 품고 살아가는 모습을 무척 좋아합니다.

그리고 아이리는 사실 기획 초기 단계에는 존재하지 않았고, 여동생 캐릭터가 필요하다는 요청을 받아들여 탄생했는데요. 어느새 룩스의 행동 동기나 목표, 혹은 학원이라는 일상의 내정만이 아니라 두 사람의 고독함을 공유하는 입장이 되어서, 점점 좋아하게 됐습니다. 특히 드라마CD의 표지 등이 마음에 듭니다. 하얀 타이츠도요.

그럼 감사 코너입니다.

새로 일러스트 담당이신 무라카미 유이치 님. 이번에도 멋진 일러스트를 그려주셔서 감사합니다. 표지의 요루카&아이리가 각자 자신의 특징을 드러내고 있는 게 무척 마음에 듭니다.

그럼 새 연호로 바뀔 무렵에, 다음 권으로 만나 뵙기를 기대하겠습니다.

2019년 5월 모일 아카츠키 센리

최약무패의 신장기룡 18

초판 1쇄 발행 2022년 9월 10일

지은이_ Senri Akatsuki
일러스트_ Yuichi Murakami
옮긴이_ 원성민

발행인_ 신현호
편집장_ 김승신
편집진행_ 권세라 · 최혁수 · 김경민 · 최정민
편집디자인_ 양우연
관리 · 영업_ 김민원

펴낸곳_ (주)디앤씨미디어
등록_ 2002년 4월 25일 제20-260호
주소_ 서울시 구로구 디지털로 26길 111 JnK디지털타워 503호
전화_ 02-333-2513(대표)
팩시밀리_ 02-333-2514
이메일_ lnovellove@naver.com
L노벨 공식 카페_ http://cafe.naver.com/lnovel11

SAIJAKU MUHAI NO BAHAMUT vol.18
Copyright ⓒ 2019 Senri Akatsuki
Illustrations copyright ⓒ 2019 Yuichi Murakami
All rights reserved.
Original Japanese edition published in 2019 by SB Creative Corp.
This Korean edition is published by arrangement with SB Creative Corp., Tokyo
in care of Tuttle-Mori Agency, Inc., Tokyo.

ISBN 979-11-278-6544-3 04830
ISBN 979-11-278-4266-6 (세트)

값 7,800원

*이 책의 한국어판 저작권은 Tuttle-Mori Agency를 통한 SB Creative Corp.와의
독점 계약으로 (주)디앤씨미디어에 있습니다.
저작권법에 의해 한국 내에서 보호를 받는 저작물이므로 무단전재와 복제를 금합니다.

*잘못된 책은 구매처에 문의하십시오.

전생 따위로 도망칠 수 있을 줄 알았나요, 오빠? 1권

카미시로 쿄스케 지음 | 키린 카케루 일러스트 | 송재희 옮김

나를 감금했던 동생이 이 세계 어딘가에 숨어 있다―.
고등학교를 졸업하고 5년간 여동생에게 감금당했던
나는 가까스로 도망쳤다가 트럭에 치여 이세계에 전생.
악마 같은 동생으로부터 겨우 해방되었지만……
자유로운 새 세상에서의 이름은 잭.
귀족의 외동아들로, 사랑 넘치는 부모님과 상냥한 메이드 아넬리의 보살핌 속에서
행복 가득한 새로운 인생이 시작되었을 테지만.
함께 죽은 동생도 이 세계에 전생했다.
이름도 생김새도 달라진 그 녀석이 어디 숨어 있을지 모른다.
하지만 내게는 신에게 받은 세계 최강급의 힘이 있다.

이 능력으로 그 녀석을 물리치고
나는 이번에야말로 주위 사람들을 지켜 내겠다!

라이트노벨의 새로운 빛! 노벨의 신간은 매월 10일에 발매됩니다. http://cafe.naver.com/inovel11

옛 원칙의 마법기사 1~3권

히츠지 타로 지음 | 토사카 아사기 일러스트 | 송재희 옮김

「기사는 진실만을 말한다」
「그 마음에 용기의 불을 밝히어」
「그 검은 약자를 지키고」
「그 힘은 선을 지지하며」
「그 분노는─ 악을 멸한다」

전설 시대 최강의 기사라고 평가받는 동시에 『야만인』이라는 이명을 가진 시드 블리체.
캘바니아의 젊은 『왕자』에 의해 부활한 남자는 마법기사 학교의 교관으로 부임한다.
창설자 기사의 이념을 이어받은 네 개의 교실 중에서
그가 배속된 곳은 공교롭게도 자신의 이름이 붙은 낙오 학급인데…….
"너희 말이야, 기사로서 부끄럽지 않아? ─일단 검을 버려."

최강의 기사는 야만인─. 새로운 「교관」 시리즈 개막!

©Kei Sazane 2021
Illustration : Toiro Tomose
KADOKAWA CORPORATION

신은 유희에 굶주려있다. 1~2권

사자네 케이 지음 | 토모세 토이로 일러스트 | 김덕진 옮김

한가한 지고의 신들이 만든 궁극의 두뇌 게임 「신들의 놀이」.
오랜 잠에서 깨어난 신이었던 소녀 레셰는 눈을 뜨자마자 이렇게 선언했다.
"이 시대에서 게임을 제일 잘하는 인간을 데려와!"
지명된 사람은 「이 시대 최고의 루키」로 주목받는 소년 페이.
두 사람이 도전하는 「신들의 놀이」는 난이도가 너무 높아 완전 공략한 사람은 제로.
그 이유는, 신들은 변덕쟁이에 불합리하고, 가끔은 이해할 수 없으니까.
그러나 그런 게임이기에 진심으로 즐기지 않으면 아깝다!
여기에 천재 소년과 신이었던 소녀, 그리고 동료들이 펼치는
지고한 신들과의 궁극 두뇌전이 펼쳐진다!

신과 인류의 두뇌전, 드디어 개막!